HOW TO TURN $100 INTO $1,000,000
Earn! Save! Invest!

1万円を1億円にする「お金の教科書」

13歳からの億万長者入門

ジェームス・マッケナ
ジェニーン・グリスタ
マット・フォンテイン

関 美和 訳

ダイヤモンド社

HOW TO TURN $100 INTO $1,000,000: Earn! Save! Invest!

by James McKenna, Jeannine Glista, Matt Fontaine

Copyright © 2016 by Biz Kid$, LLP
Design by Colleen AF Venable
Illustrations by Emma Cook
Japanese translation rights arranged with Workman Publishing Company, Inc.
through Japan UNI Agency, Inc., Tokyo

歴史上今ほど
1億円が簡単に手に入る
時代はない

1億円。1の後にゼロが**8個**ついた数字。

最近は1億円どころか、1000億円なんて金額も話題にのぼる。

人によっては1億円は大金かもしれないし、そうでもないかもしれない。

誰と比べるかにも、何と比べるかにもよる。

だが、ほとんどの人にとって1億円は大金だ。

1ドル札を100万ドル（およそ1億円）分積み重ねると、350フィート（およそ**107メートル**）もの高さになる。

だが、何百億、何千億の資産を持つお金持ちにとっては、1億円なんて、はした金にすぎない。

すべては見方によるけれど、僕たちから見れば1億円が大金だということは間違いない。

さてここで、真面目な話をしよう。

いや、それほど真面目でもないかな。

おもしろおかしく、でも真剣に話してみるとしよう。

この本を読んだからといって、みんなが一生のうちに1億円を手にできるわけではない。

むしろ、1億円なんて目標に手の届かない人がほとんどだ。

1億円が簡単に手に入るなら、今頃誰もが億万長者のはず。

そうだよね？

1ドル札を100万ドル分積み上げると、**350フィート**の高さになる（およそ107メートルといったほうが世界のみんなにはわかりやすいかな）。

貯蓄口座にお金を積み上げよう！

１億円を貯めるのに必要なのは、決意と努力と多少の犠牲だ。

　そのくらいなら誰にでもできそうだが、ほとんどの人はやらない。

　でも、経済的自由を手に入れるためには、そのくらいは長い目で見れば小さなことでは？

　驚いたことに、そんなこともできないという人がいる。

９割の人は「１億円を貯めたい」と言いながら、行動しない

タヌキは君の友達とは限らない

　というか、**９割の人は「１億円を貯めたい」と言いながら、行動しない。**

　今あるお金を貯められないばかりか、必要もないのにクレジットカードを使ったり借金をしたりして、明日のお金まで使ってしまう人も多い。

　自分が稼げる収入を超えた身の丈に合わない暮らしをしたがる人は珍しくない。

　彼らは「宵越しの金」を持たず、明日のために蓄えようとしない。

　だが、これだけはわかってほしい。

　先々必ずお金が必要になるということを。

お金があるのはいいことだ。それはなぜだろう?

1 自由になれる

　お金で自由を買うことができる。

　お金があれば選択肢が増える。上司が嫌いなら、仕事をやめればいい。

　お隣さんが不快なら、引っ越してもいい。世界中を旅したければ、そうすればいい。

　バレエを教わりたければ、チュチュとトゥシューズを買えばいい。

　それがお金のチカラだ。

2 いざというときの備えになる

　人生は一見親切そうだが、癇癪（かんしゃく）持ちのタヌキに似ている。

　笑顔と愛情を振りまいたかと思うと、腕に噛みつくこともある。

　いざというときの備えがあると、逆風が訪れたとき、君を守ってくれる。

　たとえば、不慮のケガで治療費が1000万円にのぼったとしよう。

　1億円あれば、治療費を支払ったうえで9000万円のおつりがくる。

お菓子屋ビフォー・アフター

ビフォー

15歳の少女、お菓子屋で大成功！

　地元のさびれた場所の大通りの交差点の角にある廃屋で、お菓子屋を始めた

3 誰かを助けられる

「上げ潮はすべての船を持ち上げる」

　ということわざがある。

　君にお金があれば、君自身も家族もコミュニティも、みんなが恩恵を受ける。

　億万長者も、もっとお金持ちも、それほどお金持ちでなくても、自分のためだけではなく、他の人を助けるために財産の一部を使っている。

15歳の少女がいた。

　その商売は大成功し、通りの両側に店を構えることになった。

　まもなく、その地域に命が戻った。

　その少女のお菓子屋の大成功が地域全体を蘇らせるきっかけになったのだ。

財団をつくって学生に奨学金を与える人もいれば、芸術家に寄付したり、ホームレスを助けたり、起業家に投資したりする人もいる。

　誰かを助けたうえでまだ、高齢になったときのために蓄えを残しておくこともできる。

なぜ１億円なの?

　欲を出せと言いたいわけじゃない。

　自分を支えるためのお金をつくることが目的だ。

　お金の奴隷になるのではなく、**お金から自由になる**ことが大切なんだ。

　借金まみれの人生ではなく、**君が生きたい人生を選べる**ように。

　今すぐには１億円なんて必要ないかもしれないが、実家の地下に一生住み続けるのでもない限り、いずれお金は必要になる。

　それに実家に住み続けたとしても、お金はいる。

　そこで、この本が役に立つ。

　僕たちは**長年にわたり数百人もの子どもたちに取材調査し、同時に過去から現在までの億万長者のヒミツを徹底的に調べた。**

　幼い頃からどんなことをすれば、ゼロから１億円をつくれるのかを学んでいった。

　こうした調査と観察を通して、君の成功を助けることができたらと思っている。

　ところで、お金に関しては、過去が未来を決めるとは限らない。

　人生の持ち札がどんなものであれ、どこで生まれてどんなふうに育っても──親が一人でもいなくても、養子でも、お金持ちでも貧乏でも、都会っ子でも田舎者でも──ゼロから億万長者になった例はあげればきりがない。

　それに、インターネットで一瞬で世界中とつながる今、**歴史上のどんな時代より１億円を手に入れることが簡単**になっている。

　もちろん、君が賢く行動し、この本にあるような**いくつかのシンプルな戦略**

を学ぶことが前提だ。

　では、まずこの本で言いたいことは？

　それは、**お金を稼いで貯金し始める時期が早ければ早いほど、お金を育てる時間が長く取れる**ということだ。

　ここからはネタバレだが、ラッキーなことに、1億円すべてを自力で貯めなくてもいい。

　この本の後半で教える、**ちょっとしたコツ**をここで先に言っちゃおう。

　それは、ある程度までお金を貯めたら、あとは**そのお金に働いてもらってさらにお金をつくり出してもらう**ということだ。

　え？　どういうこと？　って思ったよね。

　なんだか変じゃない？

　でも、それができるんだ。

　特に、まだ若いときに始めれば（この本を読み始めた大人たちも希望を捨てないで。なにせ人生100年時代だから）。

　だからこそ、覚悟を決めて、今すぐ始めなくちゃならない。

夢は大きく

　1億円あったらどうする？

　金のスケートボード（スケボー）で、ビバリーヒルズの通りをすべり降りる？

　飛行機で南の島に行ってランチする？

　バカでかいマンションのペントハウスで豪勢にパーティを開く？

　それとも、もう少し生活に役立つことをする？

　大学に行ったり、いつか家を買ったり、困っている人を助けたりとか？

　1億円あれば、そのどれもができる！

　なら、どうしてぼーっと待ってるんだい？

　さっそく1億円を目指して行動を開始しよう！

　そして、それを**楽しもう**じゃないか!?

『13歳からの億万長者入門──1万円を1億円にする「お金の教科書」』── もくじ

第6章

13歳からの起業入門

投資という名の冒険に出よう

注意書き
（免責事項）

この本は、情報を提供するものにすぎません。

この本のアドバイスに基づいてみなさんが受ける利益や被る損失への責任は、負うことはできません。

ニセモノのユニコーン企業に投資してしまって、私たちのせいにする人がいるかもしれません。でも、著者も訳者も出版社もそのような責任は負いかねます。

人生にはリスクがつきものです。とりわけ、お金に関してはそうです。

賢くなりましょう。お金を稼いで、しっかり貯め、賢く投資しましょう。

愚かなことに手を出してはいけません。

お金を賢く扱えば、あなたが億万長者になれる可能性は高まります。

本書には一部アメリカ特有の記述がありますが、気にしないで読み進めてください（1ドル100円で計算）。

きっと読み終えた頃には、お金の本質がわかり、「稼ぐ力」「貯金力」「投資力」の"3つの力"がついていることでしょう。

大人も子どもも一緒に楽しみながら読んでみてください。

第1章

億万長者だけが持っている
「億万長者マインドセット」

本物の億万長者って、どんな人たちだろう？

背が高くて、日に焼けていて、ハンサム？

そういう億万長者もいるかもしれない。

世界中を飛び回ったり、毎日手足の爪の手入れをしてもらったりしてる？

そんな人もいるだろう。

中古車に乗り、収入の範囲内で地味に地に足のついた暮らしを送ってる？

ほとんどの億万長者はそうだ。

本物のお金持ちの姿は、それぞれ違っている。

もちろん、若くてカッコいい映画スターもいれば、ウォール街の株トレーダーもいる。

でもそんな人ばかりじゃない。

実際の億万長者は、お金を使わず、**貯めている**。

だから本当のお金持ちは、テレビで見るようなドラマチックな人たちじゃない。

でも、そこがいいところなんだ。

ほぼ誰でも億万長者になれるってことだから。

君もそう、なれる。

これまでに１円だって貯めたことがなくても、大丈夫。

自分はそんなに賢くないからと、これまで挑戦したことがなくても問題ない。

君は十分に賢いし、君ならできる！

どうすればいい？

「億万長者マインドセット」（MDM）とは？

実は、**今すぐに始められること**がある。

しかも、サンダルを履くのと同じくらい**簡単にできる**ことだ。

それは**「億万長者マインドセット」(MDM: Million-Dollar Mind-Set)**を身につけ始めること。

「億万長者マインドセット」とは、生きる姿勢と言ってもいい。

つまり、**1億円を貯めるという目標にコミットする**ということだ。

中途半端なやり方ではコミットすることにはならない。

何がなんでもやり遂げるという姿勢でなければダメだ。

『オズの魔法使い』で家に戻るために、エメラルドシティを見つけたドロシーくらいに**決死の覚悟**でないといけない。

自分ならできる、自分にはその価値があると強く決意してほしい。

だって、**君には本当にその価値がある**んだから。

目標にコミットし、努力によってその目標を達成することが、億万長者の考え方だ。

まずは**正しいマインドセット**を持つことから始めよう。

飾りを捨て、
自分のやるべきことに集中する

そうだ。億万長者のように考えるだけでいい。

そうすれば億万長者になれる。

だが、それほど簡単なことなら、どうしてみんな億万長者になっていないんだろう？

それは長い間、計画どおりにずっと節制を続けることがすごく難しいからだ。

どこを向いても、何かしら買いたいものはあるし、お金を使えばすぐに、幸福で健康でお金持ちで人気者で成功者か何かになれるような気がする。

誘惑にはなかなか抗えない。

特に周りのみんなが最新のスマホやゲームやおもちゃを買っているように見えれば、なおさらだ。

億万長者になる秘訣は、みんなが持っているからという理由で、最新のものを買ったりしないことだ。

億万長者のように考えるというのは、お金を使うのではなく、**やりくりで貯**

める方法を見つけるということだ。

　それは、友達と出かける代わりに、いつもより長く働くことかもしれない。

　外食ばかりせずに、たまには家でラーメンをつくって食べることかもしれない。

「億万長者マインドセット」を身につける 4つの姿勢

　なるべくお金を使わず、できるだけ多く貯金することはもちろん大切だけれど、「億万長者マインドセット」はそれだけじゃない。

　「億万長者マインドセット」を身につけるには、次の**4つの姿勢**が必要になる。

1 集中する

　1億円の貯金はかなり大胆な目標だ。

　そこにたどり着くには、目標に集中していないといけない。

1万人の億万長者を取材したら意外な結果が！

　1996年、アメリカ富裕層研究の第一人者のトマス・J・スタンリーとウィリアム・D・ダンコが、1万人以上の億万長者にインタビューとアンケートを実施。億万長者というのはどんな人たちか。その資産、年収、職業、消費行動を徹底研究してみることにした。

　その研究に基づいて書かれたのが、『となりの億万長者〔新版〕──成功を生む7つの法則』（トマス・J・スタンリー＆ウィリアム・D・ダンコ著、斎藤聖美訳、早川書房、2013年）という本だ。

　スタンリーとダンコの発見に多くの人が驚いた。

　お金持ちの多くは高級車に乗ったり、高級リゾートで休暇をすごしたりしない。

　まるで正反対だ。

　お金持ちは収入に比べて出費をはるかに切り詰め、中古車に乗り、質素な家に暮らしている。そして自分たちのお金を賢く投資し、自分たちを飾るためのものを買わない。

　さっき言ったように、お金を使わずに貯めるのが本物の億万長者だ。

途中で挫折しそうになることもあるだろう。

　仕事がうまくいかなかったり、投資で損をしたり、なによりも誘惑に負けてお金を使いすぎたりしてしまうかもしれない。

　だが、最終目標に近づくことに、いつも集中していなければならない。

2 辛抱する

　今すぐにでもお金持ちになりたい気持ちはわかる。

　確かに、なかには宝くじに当たったり、流行りのアプリを発明したり、遺産を相続したりして、一瞬にしてお金持ちになった人はいる。

　だが、それはほんの一握りだ。

　ほとんどの億万長者は、**長い時間**をかけて蓄えを増やしている。

　彼らは貯金し、投資し、**じっと待ち、虎の子（投資）を守り、その間も定期的にさらにお金を貯め、それが育つのを、長い時間かけて見守る。**

3 自信を持つ

　みんなと同じことをやっていると、みんなと同じようになるだけで、億万長者にはなれない。

　飛び抜けてたくさんのお金を貯めるには、みんなとは違う**独立したマインドセット**が必要になる。

　群れに従う羊になってはいけない。

　周囲に見せびらかすために、最新のファッションや車やテクノロジーを身につけていては、とうてい億万長者にはなれない。

4 賢い知識を得る

　億万長者になるには、お金について理解しなければならない。

　お金の貯め方、増やし方、守り方を知る必要がある。

　幸い、この本でその知識を得ることができる。

「億万長者マインドセット」をクセにする

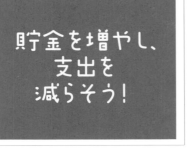

爪噛みも鼻ほじりも、昔からの悪い「クセ」なので、「クセ」という言葉には、なんだか悪い印象がある。

でも、いい「クセ」を身につけることはよいことだ。そんな身につけたい「クセ」の一つが、**定期的にいくらかのお金を取り置きしておく**ことだ。

この習慣は、**ほぼすべての億万長者に共通**するものだ。

億万長者になる人は、お金の山をどう積み上げたらいいかを知っていて、それを**ゆっくりと確実に、しかも定期的に**行っている。

たとえば、毎日100円貯めるだけでもいい。

100円は多すぎる？　ならその半分でもいい。

ほんの少しでも、ゼロよりマシだ。

よいお金の習慣を身につけるには時間がかかるけれど、なによりもまず一歩を踏み出し、そこから上に登っていくといい。

エジソンとジョーダンがお金持ちになった理由

誰より賢いお金持ちでさえ、不運に見舞われて損をしてしまうことはある。

たとえば、1930年代の世界大恐慌や2008年のリーマンショック後の金融恐慌に見舞われるような場合だ。

未来のために賢くお金を運用しようとしていた多くの人が、この２度の大不況で打撃を被った。

だが一方で、立ち直った人もいる。

立ち直った理由の一つは運だろう。

もう一つの理由は**あきらめなかった**ことだ。

歴史上最も成功したバスケットボール選手の一人であるマイケル・ジョーダンは、こう言っている。

「私は失敗を受け入れることができる。誰でも必ず何かに失敗するものだ。だが私には、挑戦しないということはできない」

トマス・エジソン（1847〜1931）でさえ、電球を灯すまでに少なくとも1000回は失敗しているが、最後に成功して歴史を変えた。

億万長者だって失敗したくはないが、ほとんどの人はいずれどこかで失敗する。

それが当たり前だと彼らは知っている。

もし失敗したら、その失敗から学んでもう一度挑戦すればいいことも、わかっている。

失敗を恐れてはいけない。

あやまちや苦境に耐えてほしい。

集中を保ち、**辛抱**強く、**自信**を持って、**賢い知識**を得て事に当たれば、お金を増やせる可能性は高くなる。

トマス・"Sparky
（電気のようにピカリ
と光る）"
エジソン

マイケル・"Air（空気の
ように軽々と飛ぶ）"
ジョーダン

君の１億円計画

　大金持ちも億万長者も、計画がなければ、多額の金融資産を積み上げることはできなかったはずだ。

　この本で、僕が君の手を取り（たとえだから、気にしないで）、**一歩一歩一緒に歩みながら経済的に独立**できるように（つまり「お金持ちになれるように」）君に合った計画をつくることを手助けしよう。

　億万長者になるためのコツや仕掛けを教え、その途上で陥りそうな**落とし穴**をバッチリ指摘するつもりだ。

　お金を稼ぐことは**ある種のゲーム**で、その**ルール**を僕たちが教えよう。

　次の章に移る前に、お金持ちになることに**君が努力を誓うという固い意志を確認**しておきたい。

　この目標に集中できるだろうか？

　「億万長者マインドセット」を身につけ、お金を稼ぎ、１億円を貯めることに全力を注げば、目標達成の可能性は高まる。

　まずは、自信を持って鏡の中の自分を見つめ、次の言葉を繰り返すことから始めよう。

さあ、言ってみよう！

「私は億万長者になります！」

この章のまとめ

1 億万長者は、お金を**貯める。使わない**

2 億万長者になるには、**「億万長者マインドセット」
(MDM)** を身につけなければならない

3 この2つを守れば、**誰でも億万長者**になれる

なぜ、億万長者になりたいのか?

　君は、なぜ、1万円を1億円にしたいんだろう?

　その理由を紙に書き出し、ロッカーに貼ったり、鏡に貼りつけたり、ベッドの上の天井に貼ったり、スマホの壁紙にしたりするといい。

　毎日見るところに貼りつけ、気持ちを盛り上げてほしい。

　つらいときも楽しいときも、その理由が君を突き動かし続けてくれるだろう。

　でも、今は真剣に考えすぎないでほしい。

　ただ、そのお金で何をするかを想像してみるといい。

　お金持ちになりたい理由は、おそらく時が経てば変わっていくだろう。

　だから、経済的自立への旅の出発点を思い出すために、最初のリストを保存しておくといい。

第2章

自分宛に10億円の
小切手を切った男の10年後

ミライバンク

2041年4月1日　日付

¥,000,000,000 -

支払先　私

支払額　10億円

未来の収入として　私より

小切手帳

君はどんな人生を送りたい？

　旅行したり、貧しい人を助けたり、ダートバイクのレースに出場したり、ドレスをデザインしたり、宇宙旅行に行ったり、スケボーのプロになったり、その全部をやってみたい？

　お金があれば、望みの人生を手に入れられる可能性が高まる。
　そのためには目標金額を備えた計画が必要になる。
　目標金額を備えた計画があれば、お金の海を漂流せずにすむ。
　その計画が**「経済的自由という名の島」**にたどり着くための航海図になる。

目標の時間軸を3つに分ける

　目標金額達成の手助けになるのが、異なる目標にそれぞれ別の口座を設けることだ。

　たとえば、新しいコンピュータを買うためのお金を貯めるといった短期目標のためには、貯蓄口座を設けることもできる。

　それとは別に、大学進学といった中期目標には、譲渡性預金（CD：Certificate of Deposit）口座を持ってもいい。

　また、引退といった長期目標に備えて個人退職勘定（IRA：Individual Retirement Account、アメリカで最も一般的な退職後資金積立制度で税制優遇がある任意の個人年金）に投資してもいい。

　譲渡性預金への投資（133ページ）や個人退職勘定（177ページ）については後で説明しよう。

　その2つが何かについては、この本をもう少し読み進んでみないとわからないと思う。ただ安心してほしい。今は知らなくて大丈夫だ。異なる種類の投資については、第9章でさらに詳しく説明しよう。

　計画も目標もなければ、いずれどこかで行き詰まり、十分なお金を貯めることはできない。特に、お金が一番必要なときに、困ってしまうだろう。

　目標金額は一つ決めればいいというわけではない。

　毎時間、毎日、毎週、毎月、3か月ごと、半年ごと、1年、5年、10年、20年、そして一生の目標をそれぞれ決める人もいる。

　ここではとりあえず、短期、中期、長期の3つの目標を考えてみよう。

経済的自由を手に入れるための 3つの航路を描こう

短期目標

（今から1年以内）

中期目標

（1年から10年以内）

長期目標

（10年より先）

GO!

短期目標（今から1年以内）

たとえば、来週コンサートに行くお金を貯めたい。

新しいスマホ、起業のための備品を買うお金を貯めたい。

あるいは、1億円という目標に向け、今すぐ貯金を始めたい。

それらはすべて、「短期目標」に分類される。

では、どうしたら短期目標を達成できるだろう？

まず目標金額を定め、その期日までの時間で割ってみよう。

たとえば、すごくカッコいい、あこがれのアイテムがほしかったとしよう。

値段は100ドルで、次の夏までに買いたい。それは10か月先だ。

となると、月に10ドル貯めないといけない。

それができるかな？

もしできない場合は、目標を少し変えたほうがいい。

もっとお金を稼ぐか、支出を減らすか、その両方を組み合わせなければならない。

もう一つのやり方は、**貯金の期間をもう少し延ばす**ことだ。

中期目標（1年から10年以内）

車を買う、旅行する、大学の学費を貯める、20歳までに一人暮らしを始める。

そういったことは、中期目標に入る。

ここでもう一度、目標金額を設定し、そこに到達するまでの期間で割ってみよう。

たとえば、ヨーロッパ旅行の費用が5000ドルで、3年間でそのお金を貯めるとする。

5000ドルを36か月で割ると、ひと月に**138ドル89セント**だ。

では、ひと月138ドル89セントの中期目標は実現できるだろうか？

もしできない場合は、目標を変えたほうがいい。

もっと安上がりな旅行の計画を立てるか、もっと先に延ばすか、もっとお金を稼ぐ方法を考えよう。

長期目標（10年より先）

　長期というのは10年、20年、30年、40年、またはもっと年を取ってからの目標だ。

　はるか先のことのように思えるかもしれないけれど、いつか突然、「13歳のときに長期目標を考えておくべきだった！」と気づく人はすごく多い。

　早めに引退したい、世界中を旅したい、家を買いたい、子どもをつくりたい、犬を何匹も飼いたい。そんな目標をかなえるには1億円が必要になりそうだ。

　おそらくこれらは、長期または超長期の目標といっていい。

　では、40年かけて1億円貯めたいとしよう。

　1億円を40で割ると、年間250万円になる。

　君はこう考えていることだろうね。

「まだ13歳だし、そんな大金は絶対に貯められっこない」って。

　でも、幸いなことに、**40年間、毎年250万円を実際に貯めなくても1億円に到達できる**んだ。

　後で、**お金がお金を生み出すワザ**を教えよう。

　でも、**その前に、読んでおいてほしいこと**がある。

とことん書き出し、貼っておこう!

目標をはっきりさせ、自分の望みを詳しく書き出すことが大切だ。

手で書き記してもいいし、パソコンで打ってもいいし、自分自身にテキストメッセージを送ってもいいし、この本の170ページにある「**億万長者になるプランを2ページにまとめよう**」に書き込んでもいい。

それを**冷蔵庫**に貼るか、**毎日見える場所**に貼っておこう。

書き出して目の前に置くことで、目標がかなう可能性が高まる。

それから、目標を変えてもかまわない。

おそらくそのうちに変わるだろうから。

冷蔵庫に目標を

自分宛に 10 億円の小切手を切った
ジム・キャリー

　ハリウッドの売れっ子俳優の一人、ジム・キャリーは、これまでの映画出演で何十億円も稼いできた。

　だが、昔から売れっ子だったわけじゃない。

　1985年、まだハリウッドで食べていくのに困っていた頃、キャリーはハリウッドヒルズの頂きまで車を走らせた。

　彼はそこで未来を夢に見ながら、**自分宛に 10 億円の小切手**を書いた。

　振込日付は**10年後**、1995年の感謝祭の日だ。

「**演技に対する対価として**」とつけ加え、以来その**小切手を財布に入れて持ち歩いた**。

　その後のキャリーの活躍はみんなも知っているとおりだ。

　彼の前向きさと粘り強さが実を結び、1995年までには数本のヒット作に出

手づくりジュエリーをダートバイクに変える

　クリスチャンはダートバイクが趣味で、新しいバイクがほしかった。

　1年以内に新しいバイクを買うことが目標で、そのためにはこれから12か月間、毎月50ドル貯めなければならない。

　そこで、クリスチャンは、ジュエリーを手づくりして友達や家族に売り、地元のピザ屋にカウンターを設置させてもらい、週末にそこでジュエリーを販売した。

　最初は友達にバカにされたけど……その後、新品のダートバイクで仲間に泥をかけながら追い越していくクリスチャンを笑う人はいなかった。

演して、映画一本あたりの出演料は**20億円**にまではね上がった。

　自分自身に10億円の小切手を切ったことで、キャリーは仕事に集中し、その結果、成功をおさめることができたのだ。

　さて、君は望みの未来を手に入れるために何をしているだろう？

　もしかしたら、今の状態が自分にできる精一杯だと思っているかもしれない。

　だが、困難があっても、自分の気持ちをすべて将来の成功に向けてみることはできるだろうか？

　幸運を待つのはやめよう。

　宝くじに当たるとか、おじさんの遺産でお金持ちになるとか、そんな淡い期待をしても仕方がない。

　どんな未来を手に入れたいかを自分ではっきりさせ、目標を設定してそれに向けてせっせと計画を立てよう。

　20年後の自分に向けて、今すぐ小切手を切ったほうがいいかもしれない。

進捗を測ってお祝いしよう

　もしかしたら、君はこれから失業することがあるかもしれない。

　一方で運よく昇給するかもしれないし、投資した株が爆上がりするかもしれない。

　最善の計画を立てても、ボロボロに崩れることもある。

　だから常に状況に細心の注意を払い、定期的に進捗を測ってほしい。

　1年以内に例のカッコいいアイテムを手に入れることを短期目標にしたら、その目標に向けてどれだけ進んでいるか、毎月立ち止まって測ってみたほうがいい。

　目標を上回るペースで進んでいるかもしれない。なら申し分ない！

　でもそうじゃなければ、少し調整が必要かもしれない。

　では目標に達したら？

　お祝いをしよう！　そして次の新しい目標を立て、動き始めよう。

　まだ1億円という目標は達成していないのだから。

人生の目的とは?

　僕たちはみんな、将来やってみたいことや送りたい人生を夢見るものだ。

　きちんと目標を立て、それを書き出し、どうしたら目標に到達できるかを計画すれば、その夢をかなえられる可能性は高くなる。

　具体的な金額目標のある計画を立てることが、経済的に自立した未来への土台になるのだ。

この章のまとめ

1　１億円を手に入れたければ、**短期、中期、長期の３つの目標**を立てよう

2　**目標を書き出し、冷蔵庫などに貼ってみよう**

3　**進捗を測り、必要なら修正**しよう

第3章

最高の貯金法は「PYF戦略」

今、ココ！

地図も見ずに知らない場所に行こうとしたことはある？

ラクじゃないし、あまり賢くないよね。

短期にしろ長期にしろ、目標をうまく達成しようと思ったら、そこにたどり着くための地図が必要になる。

お金の目標にたどり着くための地図が、**予算**だ。

その地図が君を、**今いる場所から億万長者の国へ**と連れていってくれる。

予算は、収入の範囲内で生活することを助けてくれるツールなんだ。

それは、入ってくるお金全部（収入）と、出ていくお金全部（支出）をある時点でまとめたものだ。

お金が出たり入ったりする中で、立てた予算と比べて君の支出と貯金がどう

予算に大失敗した例

オーストラリアからこんにちは！

シドニーのオペラハウスは、オーストラリアを代表する建物で、国際的なシンボルだ。

だけど、近代の歴史で一番、予算の見立てに失敗した例として有名なんだ。

オペラハウスの建設は、デンマーク人建築家ヨーン・ウツソン（1918 ～ 2008）が1959年にオーストラリア政府による国際設計コンペで選ばれて、始まった。

当初の予算700万ドル。4年で完成する見込だった。

だが結局、完成までには14年の歳月と1億200万ドルの費用がかかった。

つまり、予算の15倍弱もかかったんだ！　なんてことだ！

なっているかを見てほしい。

これを**ゲーム**に見立て、予算を守ることが、そのゲームの目標だと考えるといい。

予算を上手に立てる方法

予算を立てるのはそれほど難しくない。

月の予算なら、毎月の収入を予測して、それを毎月の支出と比べるだけでいい。

収入には、月々の給料、その他手当、おこづかい、ローン、貯蓄口座の利子や投資ポートフォリオの配当が含まれる。

支出はその月に支払うものすべてで、たとえば食事、娯楽、洋服、学用品などの費用が含まれる。

考えつく限りすべての支出を書き出し、1円まで細かくここに入れてほしい。

だからレシートが大切なんだ。

レシートを取っておき、予算に入れてほしい。

ほとんどの人はそこまでやらないが、ちょっとした買い物はすぐ忘れてしまうから、レシートを取っておいたほうがいい。

予算を立てた後で、支出が収入より多くなってしまったら、できることは**2つ**だけだ。

1 収入を増やす

2 支出を減らす

あれ、2つじゃなくて3つあった。

3 その両方を 少しずつやる

では、**君が1億円への旅を**今すぐに始めたいとしよう。

短期目標はひと月10ドルずつ、

すべての支出を書き出そう。
新しいスケボー用の
シューズなんかはなおさらだ

全部で100ドル貯めること。

　予算があれば、お金がどこに行くかがわかる。

　収入と支出のパターンが見えたら、それを少しいじったり調整したりすれば、ひと月10ドルの貯金目標を達成する助けになるだろう。

シンプルにしよう

　予算は複雑でなくていい。シンプルにしたほうがいい。

　収入よりも多く使わず、１億円という目標に向け、毎月一定額を脇に置いて貯めておけばいいんだ。

　予算が増えたら、１億円の目標金額に向けた貯蓄とは別に、緊急時の備えに使う貯金目標をつけ加えてもいい。

　何か危機的なことが起きたときの備えとして、**３〜６か月分の収入**を貯めておくべきだと専門家は言っている。両親に教えてあげたら、感心されること間違いなしだ。

　はじめは貯金に回すお金がなく、何かを我慢することになるだろう。

　昼食を外で食べずにお弁当を持参したり、映画館ではなく家で映画を観ることになるかもしれない。

　それで上出来！

　それだけで25ドルも浮かせられる。

　予算を守ろうとすることが大切なんだ。

　たいていは、それほど生活を変えずに、**ほんの少し我慢するだけで大きなごほうび**がついてくる。

　はじめのうちは、予算がカンペキとは言えないだろう。

　ならば、いつでも調整し続ければいい。

　３か月毎日努力して、どうなるか見てみよう。

　６か月続けてみて、それが君の経済的な未来にどう役立つかを見てみるといい。

　予算の立て方を身につけておけば、それが一生涯にわたって君を助けてくれる。

月々の予算はどうやって立てる?

　ここで月次予算の例をあげてみよう。

　たとえば、先週はおこづかいを20ドルもらい、ベビーシッターのアルバイト代を20ドル受け取り、たまたまおじいちゃんやおばあちゃんから誕生日プレゼントとして5ドルもらった。合計は**45ドル**になる。すごい。それを収入の項目に書き込もう。

月々の予算 9月		
収入		
1週目	おこづかい	20ドル
	ベビーシッター代	20ドル
	プレゼント	5ドル

　ただ、毎週45ドルも入ってくるわけではないだろう。

　おじいちゃんたちから毎週5ドルをもらえるわけではない。

　収入は上がったり下がったりするはずだ。

　中古ゲームを売ったり、いつもよりたくさんお手伝いしたりしておこづかいを稼がなくてはならない週もあるはずだ。

　翌月の収入を見込んでほしい。常に保守的に見積もろう。

　君は目標が高くて、ひと月に100ドルくらいの収入を予想したとしよう。

月々の予算 9月		
収入		
1週目	おこづかい	20ドル
	ベビーシッター代	20ドル
	プレゼント	5ドル
2週目	収入なし	0ドル
3週目	ゲームを売る	30ドル
4週目	追加のお手伝い	25ドル
合計	**100ドル**	

自分宛の優先支払い
(PYF：Pay Yourself First)とは？

次に、**その月に使う予定のものをすべて**書き出してみよう。

目標は**月に10ドル**貯めることだ。

貯金が支出に含まれていない場合は、**支出のリストに書き込んで真っ先に支払おう。**

月々の予算 9月		
収入		
1 週目	おこづかい	20ドル
	ベビーシッター代	20ドル
	プレゼント	5ドル
2 週目	収入なし	0ドル
3 週目	ゲームを売る	30ドル
4 週目	追加のお手伝い	25ドル
合計	**100ドル**	
支出		
1 週目	貯金	10ドル
	携帯料金（親と割り勘）	10ドル
2 週目	映画代	16ドル
3 週目	ランチ	28ドル3セント
	スケボーの車輪	42ドル77セント
4 週目	妹にお金を返す	2ドル
	靴	110ドル
合計	**218ドル80セント**	
収入から支出を引いた合計	**マイナス118ドル80セント**	
	大幅予算オーバー	

これを「**自分宛の優先支払い(PYF：Pay Yourself First)**」と呼ぶ。

使ってしまう前にそのお金がきちんと貯蓄口座に入るようにするのが、最高の「PYF戦略」なんだ。

真っ先に貯金しないと、絶対に貯蓄目標は達成できないと専門家の人たちも言っているよ。

貯金する金額をまず書いたら、次はランチ、携帯料金、新しい靴、映画代、ビデオゲーム代、あと妹に借りたお金を返すことなどを書き出してみよう。

すべての支出をあげてほしい。

レシートがあると、正確な金額がわかる。

予想支出は実際の費用とは少しズレるかもしれないので、その月の間に予算を修正したほうがいい。

しつこいようだけど、**すべての支出を書き込む**んだ。

毎週支出を記録して、月の予算と比べよう。

支出が収入を上回るようなら、予算オーバー。

支出を切り詰めるか、もっと収入が増えるまで何かを我慢したほうがいい。

でも、少なくとも、どの支出が優先か、もうわかったと思う。

今月は、新しい靴と映画はあきらめたほうがいいかもね。

最終的な9月の予算は、次ページのようになる。

支出別に現金を封筒に入れるのが一番!

予算を守ろうと思ったら、現金を使うのが一番だ。

支出別に封筒を準備して、その中に現金を入れておく。

たとえば、娯楽に月30ドル使う予定なら、封筒に30ドル入れて、封筒のオモテに「娯楽」と書いておく。

娯楽にお金を使うときは、必ずこの封筒からお金を出す。

その封筒が空になったら、来月まで娯楽にお金は使えない。

もしお金が余ったら、そのままにして来月分に回すか、貯金する。

月々の予算・実績
9月

【収入】	【予算】		【実績】	
1週目	おこづかい	20ドル	おこづかい	20ドル
	ベビーシッター代	20ドル	ベビーシッター代	20ドル
			プレゼント	5ドル
2週目	収入なし	0ドル	収入なし	0ドル
3週目	ゲームを売る	30ドル	ゲームを売る	30ドル
4週目	収入なし	0ドル	追加のお手伝い	25ドル
合計	70ドル		100ドル	
【支出】	【予算】		【実績】	
1週目	貯金	10ドル	貯金	10ドル
	携帯料金(親と割り勘)	10ドル	携帯料金(親と割り勘)	10ドル
2週目	映画代	16ドル		
3週目	ランチ	28ドル3セント	ランチ	28ドル3セント
	スケボーの車輪	42ドル77セント	スケボーの車輪	42ドル77セント
4週目	妹にお金を返す	2ドル	妹にお金を返す	2ドル
	靴	110ドル		
合計	218ドル80セント		92ドル80セント	
収入から支出を引いた合計	マイナス148ドル80セント		プラス7ドル20セント	
	大幅予算オーバー		予算内におさまった!	

この章のまとめ

1　予算は**目標貯金額の達成**に役立つ

2　予算オーバーしそうなら、**収入を増やす、支出を減らす**、その**両方を少しずつ**やる

3　目標貯金額を達成するには、なによりもまず、**自分宛にお金を支払う**。これを「**自分宛の優先支払い (PYF)**」と呼ぶ

第4章

1万円を手に入れる
おこづかい大作戦

1万円を手に入れる5つの方法

お金を増やすには、お金が必要だよね。

はじめの1円はどうやって手に入れたらいい？

それはわりと簡単。誰かに1円もらえばいい。

なんなら「100円もらえないか」頼んでみて、反応を見てもいい。

「1万円もらえないか」頼んだら、まったく違う反応が返ってくるはずだ。

でも、まずは短期目標として、1万円から始めよう。

なぜ、1万円かって？

それはこの本のタイトルが、『**13歳からの億万長者入門──1万円を1億円にする「お金の教科書」**』だからだ。

1万円から始めるけれど、長期目標は1億円だ。

もちろん、ものすごい飛躍なのはわかっている。

でも、君が1万円手に入れられるなら、1億円だって手に入れられる。

信じてほしい。

短期目標の**1万円を手に入れる方法は5つ**ある。

【方法1】 おこづかいをもらう

『タイム』誌によると、アメリカに住む親の61％は子どもにおこづかいをあげているという。

君はその多数派に入るかもしれない。

お手伝いをしたら、おこづかいをもらえることになっているかもしれないし、お金について学ぶ目的でおこづかいをもらっているかもしれない。

もしそうだとしたら、すごくいいことだ。

おこづかいの一部を貯めることは、**経済的な自由を手に入れる道のりの簡単な第一歩**だからね。

では、どのくらい貯めたらいい？

それはおこづかいの額による。

さて、短期目標はいくらだった？

10か月で１万円貯めること？

アメリカの子どもたちがもらっているおこづかいの平均は**月に6500円**という。

もし君のおこづかいがそのくらいで、全部貯めたとしたら、**１か月半で１万円貯まる**よね！

でも、それは全部貯めたときで、あまり現実的じゃないかもしれない。

おこづかいがもっと多い場合は、目標を１万円より少し上げるといい。

おこづかいが少ない場合でも、気にすることはないよ。

目標に届くのに、少し時間がかかるだけだ。

おこづかいの額がいくらでも、**おこづかいの力を最も高める方法を２つ**、ここに書いておこう。

おこづかいを上げてもらうコツ

大人が職場でやっているように、君も、もっと多くの金額を頼んでみることはできる。

でも、もっともな理由をきちんと準備してから頼んだほうがいい。

「ママ、おこづかい増やしてくれない？」

だとあまり効果がない。

「ねえママ、僕のお手伝いリストに犬の散歩を入れるから、週に100円おこづかいを増やしてくれない？」

のほうがいい。

おねだりは必ずほどほどの金額にして、**きちんとした理由**を話してほしい。

おこづかいの３つの扱い方

おこづかいをもらったらどうする？

ショッピングセンターでお買い物しまくる？

それも一つのやり方だ。お金を使うってこと。

でも、**おこづかいには３つの扱い方**がある。

貯めること、**使う**こと、または**人のために分け与える**ことだ。

おこづかいをもらう前に、この**3つのそれぞれにいくら振り分けるか**決めて、**入れ物を3つ準備**しよう。

空きビンを3本でもいいし、貯金箱でもいい。

使い古した靴下を3枚でもいいよ。なんでもかまわない。

それぞれに、**「貯める」「使う」「分け与える」**とラベルを貼るといい。

貯める

使う

3枚の靴下方式

おこづかいをもらう**前**に、**どう分けるかを決めておいたら、1万円の目標を達成する可能性が断然高く**なる。

それから、貯金はできるだけ早く**銀行か信用組合**に預けよう。

足のにおいがする靴下に、未来の1億円を貯めておくのはよくない。

おこづかいアップ作戦

　　親愛なる(　　　　　　　)様

　　あなた様の(長男 / 長女 / 次女など)である私(名前)は、毎月のおこづかいをX%上げていただけるよう、お願いしたいと思います。

　　今も寛大なおこづかいをいただき、大変ありがたく思っていますが、X歳までに億万長者になる目標をかなえるには、今のままではお金が足りません。

　　おこづかいを上げていただきたい理由は次の3つです。

　　1

　　2

　　3

　　どうぞよろしくお願いいたします。

　　　　　　　　　　　君の署名:

貯蓄については、第7章でもっと詳しく見ていこう。

おこづかいがない場合の頼み方

分け与える

心配しなくていいよ。

まずは、頼んでみよう。

もう頼んでみた?

おこづかいについて親と話し合ってみたほうがいい。

最初はほんの100円でもいい。定期的にもらえなくてもいい。

頼んでみるだけなら損はないから。

左ページ下とこの下に、効果のありそうな頼み方を書いておくね。

親愛なる（　　　　）様

　私は、お金について、またどうしたら経済的に自立できるかについて学び始めたばかりです。

　いずれは自立し、自分の力で未来をつくっていきたいと考えていますが、まずはおこづかいをもらうところから始めたいと思っています。

　おこづかいをもらえれば、10か月で1万円貯めるという短期目標を達成する助けになるでしょう。

こんなふうにつけ加えてもいい。

「おこづかいをもらう代わりに、うちのお手伝いをもっとやるつもりです。

以前にお手伝いを頼まれたとき、僕はあんまりやりませんでした。

今回は、真剣です。

いつか億万長者になったとき、**このことは絶対に忘れません。**」

頼んでみたけどダメだった?

もしかしたら家計の都合で難しかったのかもしれない。でも大丈夫。他にも方法はある。

【方法2】仕事をする

　お金を手に入れるもう一つの方法は、**働いてみる**ことだ。
　お金のために働く？
　考えてみたこともなかったかな。

　想像力を広げれば、いろいろな仕事でお金を稼ぐことができる。
　もしかしたら、君も今、おこづかいをもらうためにお手伝いをしているかもしれない。
　ゴミ出しとか？　ペットの世話とか？　掃除機をかけたり？
　もっとお手伝いを増やそう。
　何か商売を始めてもいい。
　仕事や起業の話はこの本の後の章で詳しく話すけれど、ここでは**始めるコツ**をいくつか書いておこう。

小さなことから始める

　おうちまわりのちょっとしたお手伝いで、できることをいくつか考えてみよう（いつもやっているお手伝い以外にできることがいい）。
　納屋のペンキが剥げかけていたら、ペンキ塗りをしてもいい。
　車寄せに生えている雑草を引き抜いてもいい。
　お父さんの下着にアイロンをかけてもいい（のりづけなら簡単）。
　ご両親が君に任せたい仕事はたくさんあるはずだ。

パパのパンツのアイロンがけなんてイヤかもしれないけれど、貯金が増えると思ってやろう！

それでおこづかいをもらうといい。

聞いてまわる

友達やご近所さんに、自分にできる仕事はないか、聞いてまわろう。

庭の手入れ、犬の散歩、子守なんかはよくある子どもの仕事だけれど、それ以外にも何かないか考えてみよう。

部屋の整理、ほうきがけといった仕事をやらせてもらい、なんとか**最初の1万円に近づこう。**

実際に、おこづかいを毎月貯めるより（君がおこづかいをいくらかもらっているとしてだけど）、仕事をしてお金をもらったほうが目標に早く手が届くはずだ。

それに、いつか「本物の」仕事を始める年齢になったときに（たとえば、法的に誰かに雇われたときに）、活用できる大切なスキルが身につくだろう。

それについては第5章でもっと詳しく話すことにしよう。

【方法3】プレゼントをもらう

お金をもらえるように頼んでみるといいという話は覚えてる？

うまくいったかな？

たまに、お金をプレゼントしてくれる人もいる。

おじいちゃんからの500円や、卒業祝いの5000円なんかは、君の「収入」として予算に組み入れ、1億円の目標に役立ててほしい。

君が考えていることはわかる。

「え～、プレゼントのお金を少しは使いたい！」

「全部貯金しなくちゃいけないの？」

いや、そんなことはない。

でも、**プレゼントの大部分は銀行に貯金して、プレゼントをくれた人に、それを1億円という長期目標のために役立てていることを伝えよう。**

意外なことが起きるかもしれない。

送り主が感心して、次はもっとくれるかもしれない。

「遺産」というのもプレゼントの一種だ。

人は誰しも、突然、お金が降ってくることを夢見るものだ。

お金持ちの友達や親戚が不幸にも亡くなり、幸運にも君に何億円も残すなんてことをね。

正直に認めたほうがいい。そんな空想をしたことがあるはずだ。

でも、次のような映画のセリフを観たことがあるだろう。

> 親愛なる××様
>
> 　貴殿の愛する叔父様の○×△□□卿がバルコニーから墜落し、ガーデニングフォークに刺さってお亡くなりになりました。
>
> 　心からお悔やみ申し上げます。
>
> 　貴殿は叔父様の存在をご存じないでしょうから、ペットの猫であるミトンほどにはさびしさを感じられないかもしれません。
>
> 　あなた様は卿の唯一のご親族として、卿の城とフェラーリのコレクションと、1000億円と、少々曲がったガーデニングフォークをご相続することになります。
>
> 　しかし、遺書の条件を満たすには、イギリス海峡を泳ぎきり、猫のミトンが自然死するまで一生面倒を見なければなりません。
>
> 　できましたら、すぐにでもお返事をいただけますとありがたく存じます。

「好事魔多し」って言うじゃないか！

贈り物をもらったり、思いがけない棚ぼたがあったりすると、あれもこれも買いたくなるものだ。新しい洋服、車、あれもこれも……。

妄想はそのくらいにして！　現実に戻るんだ。

1000円でも1万円でも、思いがけないお金を手にしたとき、浮かれてムダづかいしないよう、地に足をつけるための錨（アンカー）として予算を守ろう。

もしかして、1万円以上のプレゼントをもらったかもしれない。

やったー！

これでもう最初の短期目標に届い
て、一歩を踏み出したわけだ。

今日、そのお金を貯蓄口座に入れ
よう。今すぐに。いや、今でも遅い
くらいだ！

それで、次の短期目標を5万円に
するといい。

【方法4】 お金を借りる
（借金する）

4番目の方法は**お金を借りる**ことだ。

お金を借りるのは何かとややこしく、最初からお金を借りるのは普通はいい
ことじゃない。

お金を貸す人（貸し手）は、必ず君（借り手）に見返りを求めるだろう。

それが**金利**ってやつだ（借りた金額の％で表される）。

何か大きなもの、たとえば家なんかを買いたい場合は、とっても役に立つ。

でも、1万円を1億円にしたいと思ったら、**別の方法**を考えたほうがいい。

債務と信用についてよく勉強してからじゃないと、お金は借りないほうがい
いよ。

【方法5】 金利（または投資リターン）を稼ぐ

1億円を貯めるのに一番いいのが、この方法だ。

金融機関で投資したり、貯蓄口座にお金を貯めたりすると、金利を受け取る
ことができる。

投資というのは、それが収入（たとえば配当）を生むか、将来価値が上がるこ
とを期待して行うことだ。

投資でリターンを稼ぐというのは、君が特に目を光らせていなくても、**お金**

が君のために働いてくれているということだ。

　その間、君は他のこと、たとえば自転車を漕いだりしていればいいから、**子どもにとってはすごくいいやり方**なんだ。

　その第一歩は、お金を銀行または信用組合の貯蓄口座に入れること。

　貯蓄口座の金利はとっても低いけれど、後で他のものに投資するための現金を積み上げるにはいい場所だろう。

　他の投資というと、もっと金利の高い**譲渡性預金(CD)や、株や債券やベンチャー投資**などだ。そのリストは数え上げればきりがない。

【方法6】 盗む

　それは**絶対禁止**。

　だから、**お金を手に入れる方法は5つだけ。**

この人はまだまだ
億万長者には
なれそうもないね

おめでとう！　億万長者への旅の第一歩

　ここで、先ほどの5つの方法でお金を手に入れ、短期目標の1万円を貯蓄口座に入れることができたとしよう。

　おめでとう！　億万長者への旅の第一歩を踏み出したね。

　では、また同じことを繰り返そう。

　今度は目標を2万円にしてみよう。次は5万円。その次は10万円だ。

　その後は50万円、そして100万円の大台を目指すんだ。

　運用の元になるお金が貯まったら、**お金を増やす秘密のアクセル**を踏み込もう。その秘訣については第8章「複利は宇宙最強の力」で話すことにする。

　きっとぶったまげるはずだ。

　今のところは、1万円を手に入れた喜びに浸（ひた）っておくといい。

「能動的」な収入と「受動的」な収入

　この章では、お金を手に入れる方法を学んだね。

　ここでそれが、「能動的」な収入か、「受動的」な収入かを考えてみよう。

　能動的な収入とは、君が実際に働いて得るお金だ。

　受動的な収入とは、それほど働かなくても入ってくるお金だ。

　最初はたくさんの努力が必要かもしれないが、その後の運用にはあまり手間をかけずにすむ。

　受動的な収入には、貯金の利子や株式やその他の投資からのリターンがある。

　だが、その他にも、しょっちゅう手のかける必要のない事業から発生する収入もある。

　たとえば、自動販売機や、イーベイ（eBay：アメリカの企業）での商品販売や、不動産の賃貸収入などだ。

　その他に、ブログを書いたり、YouTubeチャンネルをつくったり、ポッドキャスト（インターネット上で音声や動画を公開）をしたり、大勢の視聴者を集めて広告収入を得たりすることもできる。

　受動的な収入の素晴らしいところは、わざわざ家族に頼んで車に乗せてもらってお金を稼ぎに行かなくてもいいことだ。

　パジャマのままで自宅で寝っ転がっている間に、お金が入ってくるんだ。

そうそう、もう一度、次の３つのことを確認しておこう。

☑ 貯蓄口座に「お金」を入れた？
☑ 予算の中にそれを「収入」として書き込んだ？
☑ お金を貯めるのが「楽しく」なり始めた？

13歳でもお金は稼げる!

13歳で双子のイーサンとジャクリーンは、おこづかいをもらっている。
でも、それだけでは足りなかった。
イーサンはiPod（2001年発売のデジタルオーディオプレーヤー）を買うお金を貯めたかったし、ジャクリーンももっと買いたいものがあった。
そこで２人はビジネスを始めた。子ども向けのテニス教室と工芸のサマーキャンプだ。
イーサンは子どもたちにテニスを教え、ジャクリーンは工芸を教えた。
２人は創意工夫でお金を稼いだ。
すると、夏の終わりには目標を達成したのだ！

この章のまとめ

1 お金を手に入れる方法は **5つ**ある。
おこづかい、仕事、プレゼント、借金、そして投資のリターンだ

2 １億円貯めるには、まず**小さく**始めよう。目標は**1万円**から

3 お金を盗んではいけない、**絶対に**。刑務所に入ったら１億円の目標には届かない

第 5 章

ベゾス、バフェットなど
億万長者 8 人に学ぶ
「はじめての仕事」を
見つける方法

いつか1億円を手にするのが目標なら、おこづかい（幸運にもいくらかもらっていたとしても）だけじゃとても届かない。

　もっと速くたくさんのお金を手に入れ貯金して、長期間投資しなくちゃいけない。

　一番手っとり早いのは、**仕事を見つけること**だ。

　幸運にも何かの仕事に就ける人もいるし、仕事を頼まれることもある。

　だが、たいていの場合、仕事を見つけるにはかなりの努力がいる。

　でも幸いなことに、仕事はお金を手に入れるための素晴らしい手段というだけでなく、将来、もっとたくさんのお金を稼ぐための貴重な経験になる。

　たとえば、厩舎（家畜を飼う小屋）の掃除で食べていくのはイヤだってわかるだけでも、いい経験だ（厩舎の掃除が好きで仕事にしている人がいたらごめんなさい）。

「仕事」と
「キャリア」を
混同するな！

　はじめての仕事として、君が選べる仕事はたくさんある。

　どの仕事も厩舎の掃除と似たりよったりだ。

　たとえば、ハンバーガー屋でパテを焼いたり、タコスの具を詰めたり、トイレを掃除したり、屋根を剥がしたり、ドジョウすくいを

| ハンバーガーの
パテを焼く係 | タコスの具を
詰める係 | トイレ
掃除係 | 屋根の
剥がし係 | ドジョウ
すくい係 |

したり……。そこでこう言いたい。

「仕事」と「キャリア」は違う。

　はじめての仕事はおそらくキャリアにはならない。

　もちろん例外はある。ゲーム会社のインターンになって、そのまま一生同じ業界で働き続ける人はいるかもしれない。

　でも、初日から大切な仕事を任せてもらえるなんてことはない。

　一番基本的な仕事を任せられ、**最後までやりきることで信頼**が得られる。

　これは覚えていてほしい。

　仕事は一所懸命にやらなくちゃならないってこと。

　君に仕事を任せていいかどうかを、雇い主は冷静に見てる。

　でも、ここでは、はじめての仕事に就くことに集中しよう。

　ここで**ちょっとした戦略**が必要になる。

　まず、君が何に興味があるかを自問してみよう。

　お金儲けが最初にくるかもしれないけれど、**君が心から情熱を持っていること**は何だろう？

　どの産業やビジネスに**ワクワク**するだろう？

　もしかしたら、レストランを開くのが夢かもしれない。

　だったら皿洗いのアルバイトに就いて、病欠のウェイターの穴をとっさに埋めてあげるといい。そうしたらウェイターになれるだろう。

　2年後には店長になっているかもしれない。

　そこに留まるかもしれないし、別のレストランの店長になるかもしれない。

　そうやって階段を少しずつ登っていくんだ。

　理想の仕事に落ち着く前に、おそらくいくつか仕事を変えるだろう（業界も変わるかもしれない）。

はじめての仕事を見つけるための５ステップ

　仕事を見つけるまでには、次の**5つのステップ**がある（一つひとつについては、後ほど詳しく見ていこう）。

【ステップ❶】 どんな仕事に就きたいかを決める
【ステップ❷】 求人を見つける
【ステップ❸】 応募する
【ステップ❹】 面接を受ける
【ステップ❺】 あきらめずに挑戦する！（雇ってもらえるまで、❶〜❹を繰り返す）

【ステップ❶】 どんな仕事に就きたいかを決める

　一番先にやらなくちゃいけないのは、**自分にできそうな仕事のリスト**をまとめることだ。

　脳外科の手術はナシ。世界銀行の経営もダメ。じゃあ、何ができる？

「何もない」なんて言わないで。

　誰にでもできることはある。さあ、考えてみよう……。

　はい、時間切れ！

　ここで、君に合った仕事を見つける方法をいくつか紹介しよう。

紙を2つに折る

　片側に君のスキルと長所を書き込んでみよう。

よくあるはじめての仕事

　みんながよくやるはじめての仕事は、「誰でもできる仕事」と呼ばれることが多いし、実際に素人が初めてお金の世界に入るためには、誰でもできるような仕事から始めなければならない。

　ベビーシッター、芝刈り、庭掃除、ピザの配達、ウェイターや皿洗い、ペットのうんち掃除、ファーストフード店、農家、スーパーの品出しや袋詰め、郵便の仕分け、馬の世話、機械工の見習い、犬の散歩、ゴルフのキャディ、ペンキ塗り、ライフガード（ライフセーバー）、音楽インストラクター、家庭教師、スポーツジムのタオルたたみ係、劇場の案内係、コンピュータ修理、高級ホテルなどの駐車係、さくらんぼ収穫係、アスパラガス収穫係、厩舎の掃除、ガソリンスタンドのレジ、洗車係、お年寄りのためのおつかい係など、さまざまなものがある。

一挙公開！　ベゾス、バフェットなど
8人の億万長者、はじめての仕事

誰にもはじめての仕事がある。最初から派手な仕事に就ける人はいない。
億万長者も、普通の人たちと同じように、努力して上に登っていったんだ。

億万長者	会社	はじめての仕事
ジェフ・ベゾス	アマゾン創業者	マクドナルドの厨房
オプラ・ウィンフリー	ハーポ・プロダクションズ創業者	スーパーの棚卸し
マイケル・デル	デルコンピュータ創業者	中華料理店の皿洗い
チャールズ・シュワブ	チャールズ・シュワブ創業者	森の中でクルミを集め、100ポンドの袋を5ドルで売った
マイケル・ブルームバーグ	ブルームバーグ創業者、元ニューヨーク市長	駐車場係
サラ・ブレイクリー	スパンクス創業者	ディズニー・ワールドでミッキーの耳あてをして、エプコットセンター（フューチャー・ワールドとワールド・ショーケースの2つのテーマ地区から成る）の道案内
バリー・ディラー	IAC/インターアクティブコープ、エクスペディア会長	ウィリアムモリスエージェンシーの郵便ルーム（から始めて、パラマウント映画・20世紀フォックス〈現・20世紀スタジオ〉の会長兼CEOに）
ウォーレン・バフェット	バークシャー・ハサウェイCEO	13歳のとき、自転車で新聞配達

折った紙の**もう片側に君の興味**を書こう。

両側がマッチするのはどんな仕事かを考えよう。

接客は好き？

だったら、小売や食品のサービスが合うはずだ。

動物が大好き？

だったらペットのお世話や動物病院のお手伝いはどうだろう？

聞いてまわる

家族や友人と話してみよう。

若いときにどんな仕事をしていたんだろう？

知ったら驚くかもしれないし、それがきっかけで、思いも寄らない仕事を探してみたくなるかもしれない。

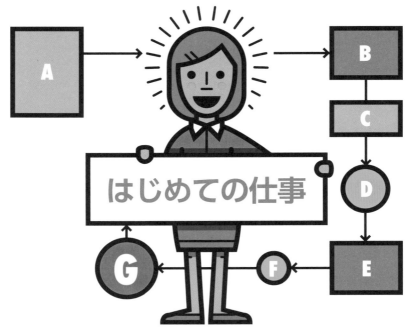

仕事を得るまでにはたくさんのステップがあるけれど、
時間をかければ目標に手が届くはず。
天才さん、がんばって！

ボランティア

いろいろな種類の慈善団体を助けることは、スキルを身につけ、新しい仕事を試し、自分の興味に合うのは何かを見つけるとてもいい方法だ。

生まれつきの能力を考える

君は朝型？　それとも夜型？

おふざけ好き？　それとも真面目？

時間に厳しい？　それともいつも遅れるほう？

どんな仕事が自分の個性に合いそうか考えてみよう。

アメリカ中でたくさんの会社がインターンを採用している。

インターンは普通、無給の仕事だけれど、とてもいい経験になるし、素晴ら

いつスタートを切ればいい？

アメリカでは、普通は14歳から働けることになっているけれど、ほとんどの州では15歳か16歳にならないと雇ってはならないと法律で定められている。

働ける時間にも上限があり、18歳以上でないと就けない仕事もある。危険を伴う仕事——たとえば原子力発電所、電気のこぎりを使う仕事、タクシーの運転などがそうだ。

まだ働ける年齢じゃない？

オンラインで君の地域や国の法律は簡単に見つけられるし、たいていの雇い主も何歳から法律上働けるか知っている。

もちろんルールに例外はある。

たとえば、家族経営のビジネスで、親のために働くことはできる。

友達やご近所さんのために、仕事の内容と時給を決めて働くこともできる。

お隣さんの猫を毎日外に出してあげてもいい。

ご近所さんのために、道端の落ち葉を掃いてあげてもいい。

車を押してあげてもいい。

普通の仕事に就くには若すぎる子どもが、犬の散歩の商売を始めたこともある。

若き起業家になることを夢見ているなら、第6章で起業の方法を学ぶといい。

しい会社に足を踏み入れるチャンスにもなる。

【ステップ❷】求人を見つける

次のステップは、**求人を見つける**こと。

つまり、企業が積極的に誰かを探して埋めようとしている仕事を見つけることだ。

空いた仕事を見つけられる場所はいくつかある。

家族や友達

仕事探しを始めるのに一番いいのは、知り合いにたずねてみることだ。

口コミを広めよう！　君が仕事を探していることをみんなに伝えよう。

君のお気に入りの場所で働いている人と話して、若い人を探していないかたずねてみよう。その職場にいる人が君を推薦してくれるだろう。

採用情報

地域の採用情報のサイトを検索すると、一瞬でたくさんの結果が見られるはずだ。

地域の掲示板を見てみるのもいい。新聞にも人材募集の広告がある。

必ず信頼できる大人に手伝ってもらい、雇い主を徹底的に調べてからでないと、面接に行ってはいけないよ。それに、**何があっても一人で面接に行ってはいけない**。

立ち寄る

レストランや小売店に立ち寄って、人を探していないか聞いてみてもいい。

ウェブサイト

働いてみたい会社があれば、ウェブサイトに求人がないか見てみるといい。

ファーストフードチェーンや小売チェーンでは特によく見かけるよ。

【ステップ❸】 応募する

　求人を見つけたら、応募書類に書き込むか、履歴書を送るか、その両方が必要になる。

　その場で応募書類に書き込む場合には、事前に準備しておいたほうがいい情報がいくつかある。

個人情報

　社会保障番号（日本でいうマイナンバー）、住所、連絡先など。

これまでにやった仕事

　過去にやってきたこと、雇われた期間、過去の雇い主の連絡先など。

　ここにはボランティアでやってきたことも書いていい。

レファレンス
照会者

　君が信用できる人物だということを確かめるために、雇い主が問い合わせられる人たちのことを「照会者」というんだ。

　一番いい照会者は元の雇い主だけど、コーチや先生や君をよく知る大人も照会者になれる。

　友達や家族には頼まないほうがいい。お母さんには君のことを聞きにくいからね。

採用される履歴書は、何が違うのか？

　たとえば、ベビーシッターの仕事や、スーパーの袋詰めの仕事をやってみたいとしよう。

　君がどんな人物かを、雇い主になる人は知りたいはずだ。

　履歴書は、君の仕事や商売の経験を1ページの物語にまとめ、なぜ君を雇うべきかをアピールする広告のようなものだ。

　今応募している仕事に履歴書が必要なくても、一度まとめておくとすごくいい経験になる。

履歴書は**プロらしいもの**にすること。

すべての雇い主に同じ履歴書を送らなくてもいい。

仕事によって、履歴書をちょっと変えてもいいんだ。

名前と連絡先

名前、住所、電話番号、メールアドレスを一番上に書こう。

メールアドレスが子どもっぽいものや人を不快にさせるようなものでないか、確かめよう。

もし君のメールアドレスが「partydude@lazymail.com」（パーティ大好き人間＠ナマケモノドットコム）なら、仕事に応募するときには新しいメールアドレスをつくったほうがいい。

目的

君がどんな仕事を探しているのかを雇い主に伝えるのがこの部分だ。

君のスキルをここで少しくらい宣伝しても大丈夫。

自分の言葉で、たとえば次のように書いてみてもいい。

> **目的**
>
> **すぐれた対人スキルを役立てるために、**
> **食品サービス業界での仕事を探しています。**

履歴書を送る相手に合わせて、目的を変えてもいい。

ゴルフコースの仕事なら、「ゴルフ業界での仕事を探しています」と変えよう。

食品スーパーなら、「食品と小売業界で仕事を探しています」と書こう。

学歴

これまでに行った学校を書こう。

幼稚園までさかのぼらなくてもいいけれど、今行っている学校名や、これまでに取った授業や講習で仕事に関係するものと、講習をいつ受けたかも一緒に書いてほしい。

たとえば、保育園の仕事に応募する場合は、ベビーシッターの講習を受けたことに触れるといい。

楽器店で働きたければ、バンドやオーケストラの経験について書くことを忘

れずに。**受賞歴や表彰歴**も必ず入れてね。

職歴

　君自身が思っているよりも、君はおそらく経験豊富なはずだ。

　有給でも無給でも、ボランティアの経験があったらすべて書き出そう。

　たとえば、造園会社の仕事に応募するなら、お隣さんの芝生刈りや、植物の手入れをした経験を書き出そう。

　職歴を書くときには、**一番関係のありそうな経験から先に書く**ようにしよう。

他のスキル

　その仕事に君がぴったりの候補者だと言えるようなスキルをここに書いてみるといい。

　特定のソフトウェアの知識でもいいし、ボランティアで身につけたスキルでもいい。

　食品スーパーに応募するなら、フードバンクで食品収納の手伝いをした経験を書いてもいい。

　動物シェルターでボランティアをしたことがあるなら、動物病院の仕事に応募する際にそれを書くといい。

　ライフガード（ライフセーバー）かベビーシッターに応募する場合は、心肺蘇生法の講習を受け

動物好き？
なら動物シェルターの
ボランティアはどうだろう？

たことを書くといい。

　それから、**努力家**であることや、**やる気**があり、**人当たりがいい**ことなども
書き出してほしい。

趣味と興味

　ここは最も重要ではないけれど、君が何に興味があるかは雇い主にとって気
になるところだ。

　面接の際に、この部分で相手とうまく波長が合うこともある。

　スキーが好きなら、そのことを忘れずに書いておこう。

　スキー場の仕事に応募するなら、絶対に書いたほうがいい。

　友達からコンピュータの修理を頼まれたりする？

　ならばそれも書いておこう。

服装を整えて面接に臨もう

はじめての仕事をゲットしたい？
学校や買い物に行く服装だと面接には場違いかもしれないね。
ガムは口に入れずに、相手の目をよく見て、リラックスして臨もう。
第一印象が大切だってことを思い出せたら、お給料をもらえる日も遠くないかも！

髪の毛を
きちんと整えて、
帽子は脱ぐ

大きなアクセサリーや
たくさんの装飾品は
避ける

Tシャツは
ほとんどの場合
NG

ジーンズや
ミニスカートは
避ける

頭からつま先まで
プロっぽく。
サンダルや
スニーカーや編み
上げブーツはなし

Yes!　　No!　　No!　　Yes!

クラブ活動や学外活動の**表彰、奨学金**も忘れずに書き出そう。

照会者

アメリカの雇い主の多くは、照会者を求める。

履歴書に照会者の名前を書いてもいいし、「お求めに応じて照会者をお知らせします」と書いておいてもいい。

照会者にはあらかじめ、問合せがきてもいいかどうかを必ず確かめておくように。

履歴書を送る前にこの４つだけは確認!

1 読み返して校正する

履歴書を書き終わったら、文字の間違いがないか確かめよう(誤植チェックのソフトウェアに頼っていると失敗するよ!)。

一つのミスで、仕事に就けるか就けないかが決まることだってある。

2 シンプルにする

飾り文字や派手な色は避けよう。

履歴書はシンプルにして、中身を充実させることに力を注いだほうがいい。

3 アップデートする

はじめからカンペキな履歴書ができあがることなんてめったにない。

これからも少し変えたり、つけ加えたり、調整を加えていこう。

4 ウソを書かない

ウソは絶対にダメ!　その仕事に関係する経験がなくても、でっちあげはやめよう。

【ステップ❹】面接を受ける

誰かを雇うときには、その人について深く知りたいと思うはずだよね。

だから面接でビシッと決めないと、仕事にはありつけない。

面接は緊張するものだ。みんな同じ！

でも、きちんと準備していけば、少しは緊張が和らぐかもしれない。

はじめての履歴書はこう書く

履歴書には、これといって決まった形があるわけではない。

ここに書いたのは、ほんの一例だ。

君らしい履歴書をつくってみよう。

まずは、始めるために、次ページにサンプルをあげておこう。

面接に受かる5つのコツ

面接のコツを5つ、ここに書いておくね。

1 あらかじめ調べておく

相手の会社について調べておこう。

その会社の商品やサービスについて、できる限り知っておくといい。

そうすれば君がどんな役に立てるか、どれほどいいスタッフになれるかを話しやすくなるからね。

2 練習する

インターネットでよくある面接の質問とその答えを調べておこう。

それから、友達や家族に面接の練習をさせてもらおう。

練習相手に**5つか6つほど質問**してもらうといい。

簡潔にわかりやすく、自信を持って答えられるようにしよう。

3 好奇心を持つ

面接のときに、その会社について質問しよう。

「事業拡大の計画はありますか？」

「今はない商品やサービスで、どんなものを将来売り出したいですか？」

「5年後にこの会社がどうなっていると思いますか？」

などを聞いてみよう。

エリー・マッケナ

421 イースタン・ロード アーズレイ ニューヨーク 10530

自宅電話番号　111.111.1111　携帯電話番号　444.444.4444　ellie@youremail.com

目的

サマーキャンプでの有給の仕事に興味あり。週15時間まで可能

学歴

セントラル・アーズレイ・スクール ニューヨーク州 アーズレイ (在籍期間を書く)

クラブ活動: バンドと舞台スタッフ

賞:　　　成績優秀者

スキルと興味

- 子どもの扱いが得意
- グラフィックソフトウェアを使って、素敵なポスターやチラシがつくれる
- マイクロソフトワードとエクセルとパワーポイントが使える
- 家庭のリサイクリングのお手伝い担当
- ベースギターを弾ける
- 戯曲や偉人の伝記を読むのが好き

ボランティアと地域奉仕

ベインブリッジ病院　ニューヨーク州　アーズレイ

小児病棟　ボランティア

- 読み聞かせやゲーム遊びをして子どもたちの気持ちに寄り添った
- 遊び場をきれいに保ち、遊んだ後はおもちゃを片づけた
- おつかいなど、スタッフに頼まれた仕事を完了した

アーズレイ・レクリエーション部門　ニューヨーク州アーズレイ市役所

キャンプカウンセラーの研修ボランティア

- 5 〜 8 歳までの子ども向けの芸術、工芸、スポーツ、ゲーム、キャンプ、趣味のワークショップのリーダーを務めた
- キャンプの参加者を安全に送迎できるように手助けした

目標

- 大学で心理学と音楽を専攻したい
- 来年は応援団に入る

今すぐ求人がなくても、履歴書を受け付けてくれる雇い主は多い。履歴書をファイルに入れておいて、空きが出たら有望な候補者に連絡するんだ。だから、早いうちに応募して、頻繁に連絡してみるといいよ!

ちょっとはずかしいかもしれないけど、きっと感心してもらえるよ。

その会社の成功を君が手助けしたいと思っている証拠だからね。

4 自信を持つ

面接相手の目を見て、しっかりと握手を交わそう。

緊張していても、緊張していないふりをしよう。

質問には正直に答えたほうがいいけれど、簡潔に。

「はい」か「いいえ」、だけじゃ短すぎるけれど、どうでもいい旅行の話を長々としても仕方がない。

5 フォローアップする

面接の後はきちんとお礼のメールを送ろう。

もし本当に相手を感心させたかったら、**手書きの礼状**を送ってもいい。

それから怖がらずに、1週間か2週間以内にもう一度連絡してみるといい。

たとえば、こんな手紙を送ってみるといいかもね。

ジョーンズ様

拝啓　夏休み期間の生産アシスタントの仕事の件で、先日はお時間をいただきありがとうございました。

　もし私を雇ってくださったら、御社フィナンシャル・フィルムズに、情熱的で働き者の従業員が加わることになります。

　私のスキルは御社にとって大切な資産となることを確信しています。

　さらに情報が必要な場合は、どうぞご遠慮なくお知らせください。

　ご連絡をお待ちしております。　敬具

マーショウン

【ステップ❺】あきらめずに挑戦する!

もし採用されなくても、落ち込まなくていい。

大成功➡大失敗➡大成功のジョブズ

クビになったからといって、世界が終わるわけじゃない。
もしかしたら、それが新しい人生のはじまりだってこともある。

たとえば、スティーブ・ジョブズ（1955 〜 2011）は、21歳という若さでアップルコンピュータ・カンパニーを創業した。

それから約10年後、取締役会によって自分の会社を追い出されてしまった。

クビになったジョブズはNeXTという会社を起業し、約10年後にそこからMac OS Xに使われるソフトウェアが生まれたんだ。

ジョブズがつくったもう一つの会社が「ピクサー」だ。

ここで『トイ・ストーリー』（1995年）、『ファインディング・ニモ』（2003年）、『インサイド・ヘッド』（2015年）など、たくさんの大ヒットアニメーション作品を生み出した。

アップルから追い出されて12年後にジョブズはアップルに戻って、最高経営責任者（CEO）になり、この会社を生まれ変わらせ、大成功へと導いた。

　仕事を探している人のほとんどは何社かに応募した後に、やっと採用されるんだ。

大切なのはあきらめないこと。

　もし面接で落ちたら、フィードバックをもらうのもいい。

　こちらから連絡を取って、どうしたらもっとうまくできるか、どこがよかったか、どこがダメだったかを聞いてみるといい。

　履歴書にも磨きをかけよう。

粘っていればそのうち必ず、「おめでとう、採用です」と言ってもらえるよ。

採用早々「できる人」と言われる８つのコツ

新しい仕事に就いたら、君が価値ある社員であることを証明しなくちゃならない。

いい意味で目立つ８つのコツを教えよう。

1 身なりを整える

身なりがきちんと整っていると、君がこの仕事を真剣に受け止めていることが周囲に伝わる。

制服を着る際には、いつも清潔に保っておこう。

服装規定がある場合には、それに従おう。

2 時間に遅れない

雇い主は君が働いている時間にお金を払っているし、時間をきっちり守ってもらうことを期待している。早めに職場に行けば、好印象を与えるはずだ。

3 聞いて、見て、覚える

君よりも長く働いている人に注意を払おう。きっと価値ある情報が得られる。

努力家の君へ   ￥ **10,000**
１万円
お給料として   上司より
2021年１月３日

最初のお給料はたった１万円でも、
１億円にも感じられるはず

4 手を動かす

スキルを上げ、時間が余ったら他の仕事に手を貸し、できることはなんでもやろう。

5 声を上げる

しばらく働いていれば、もっといいやり方がわかってくるかもしれない。アイデアがあったら、どんどん提案してみよう。

6 正直に

職場の道具・備品・商品・機器をつい「拝借」してしまいたくなるかもしれない。そんなことを考えるだけでも間違っている。

7 積極的に手を上げる

どんな仕事でも、最初に手を上げて志願していれば、上司は絶対に気がつくはずだ。

8 評価をもらう

自分の仕事ぶりや、どうしたらもっといい仕事ができるかを上司に聞いてみよう。

そう、その調子!

仕事が見つかって、いくらかお金をもらえるようになった。おめでとう！
新しい仕事を楽しめるといいね。
犬の散歩でも、芝刈りでも、ハンバーガー屋さんの調理場でも、君がやりたいことだといいね。
計画と目標と予算を見直して、できるだけたくさんお金を貯めよう。

雇い主の多くは、お給料を直接銀行に振り込んでくれる。そのほうがいい。
最初にお給料をもらうと、お金持ちになったような気がして、パッと全部使ってしまいたくなるだろう。
貯蓄口座に入金してもらえば、少しはお金の管理の手助けになるし、すべて

を失わずにすむはずだ。

　せっかく働いて稼いだお金じゃないか。

　右から左に流しちゃいけない。

　そのお金をしっかりと貯め込むことが、**1億円に到達する旅への第一歩**。

　どうぞよい旅を！

この章のまとめ

1　**仕事に就く**ことが、1億円という目標への**早道**だ

2　どんな仕事に就きたいかを考え、**求人**を見つけ、**履歴書**を書き、**応募**し、**面接**の準備をしよう

3　仕事に就いたら、一所懸命働き、お給料の**一部を銀行に貯金**しておこう

第6章

13歳からの起業入門

お金持ちを思い浮かべてみよう。

本物のすごーいお金持ちだ。

ビル・ゲイツくらいのお金持ち。

自分だけの島を持っているとか、キャビア入りオムレツを食べているとか、純金のヨットを持っているとか……。

どうやってそんなお金持ちになったんだろう？

おこづかいを貯めたのかな？　割引券をせっせと使ったとか？　フロリダの沼地を買ったとか？

ぜんぜん違う。違うの3乗！　**起業**したんだ。

でも誤解しないでほしい。

仕事に就くのは素晴らしいことだ。

定期的にお給料をもらえるし、どうしたらいいかを上司が教えてくれるし、自分のお金を注ぎ込まなくてもいいんだから。

起業はそれとはまったく違う。

決まったお給料も出ないし、上司もいない。自分ですべてのリスクを引き受けなくちゃならないんだ。

なら、どんな得があるんだろう？

なんで起業なんかするの？

もちろんお金だ！　数えきれないくらいのお金だ。

といっても、儲かるとは限らない。

でも起業で成功すれば、他のどんなことをやるよりたくさんお金を儲けられる可能性がある。

だけどもちろん、損することだって多い。

うまくいかない可能性はとても高いんだ。

それでも、本当にお金を稼いで1億円貯めようと思うなら、起業を真剣に考えてみてもいい。

起業する６つの理由

　最初の起業で１億円を手に入れられなくても、しわしわのお年寄りになる前に起業したほうがいい理由がある。

　ここに、なるほどと思える理由を**６つ**あげておくね。

1 起業は楽しい

　思いついたアイデアを実現し、その成長を見ることは、なにごとにも代えがたい喜びだ。

2 大金を稼げる

　１万円を１億円にする一番いい方法の一つが起業なんだ。

　もしお金になるアイデアを思いついたら、チャンスは無限に広がる。

3 子どものときこそ何にでも挑戦できる

　これは本当だ。子どものときが一番自由だ。

　大人になると、たくさんのしがらみがあって、リスクを取るのが難しくなる。

　それに子どもはかわいいから、**周りの人が助けてくれる**。

4 上司がいない

　誰かにえらそうに命令されるのが好きだという人はいないよね。

　でも、みんな上司になりたがる。

　もちろん部下がいなければ、自分が自分の上司になるしかない。

　今すぐ弟か妹を雇うといい。

5 大失敗できる

　成功した経営者はみんな、トップに登りつめるまでに**たくさんの失敗を経験**している。

　早く起業すれば、誰も気づかないうちにたくさん失敗できるし、**失敗から学ぶ**ことができる。

6 カッコいい

起業家の肩書きは、大学の入学願書でも履歴書でも目を引く。
積極的で賢くて責任感があることがわかるからね。

6歳で起業、13歳で億万長者になった秘密

事業経営は素晴らしいことだし、運転免許が取れない年齢でも起業している子どもたちはたくさんいる。

ここに大金持ちになった若手起業家の例をあげておくね。

彼らに共通する特徴は何だろう？

人がほしいものを見つけて、若いうちに行動を起こしたことだ。

マディ・ブラッドショーは**10歳**のとき、学校のロッカーを飾ろうと思ったけれど、ちょうどいい磁石が見つからなかったので自分でつくることにした。

虎の子の300ドルとユニークなアイデアで、飲料ビンのキャップを使った「スナップキャップ」という磁石をつくった。

それからすぐに、スナップキャップをネックレスにして身につけ、販売することにしたんだ。

妹のマーゴットとお母さんが手を貸してくれ、スナップキャップは**全国ブランド**になり、2年もしないうちに**ひと月5万本**のネックレスが売れるようになった。

ファウラー・グレイは**6歳**のとき、ボディ・ローションを販売し始めた。

13歳でファーアウト・フーズを起業し、初年度に150万ドルを売り上げ、億万長者になった！

それ以来、ファウラーは都市部の貧困地域で起業家支援のプログラムを立ち上げたり、本を出版したり、講演をしたり、数多くの企業の取締役会に入ったりしている。

最年少でウォール街に事務所を構えたのも、ファウラーだ。

ニック・ダロイジオは**17歳**のとき、自分が開発したスマートフォンアプリをヤフーがなんと**3000万ドル**で買収し、インターネットで大きな話題になっ

た。

彼は**12歳**でプログラミングを独学し、自力で「サムリー」というニュースアプリを開発してヤフーの目に留まった。**独学の元が取れた**んだ。

ジョン・クーンは、父親が日本から取り寄せた自動車雑誌を見ているうちに、「アメリカではなぜ、特装部品やカスタム仕上げで自分の車を飾りつける人がいないんだろう？」と不思議に思った。

そこで、貯金の5000ドルを使って海外から部品を取り寄せた。

地元の自動車整備工と提携し、高級仕上げ、オーディオシステム搭載、エンジンまわりの作業など、自動車の改造を始めた。

この事業は大評判となり、人気テレビ番組の主要サプライヤーにも選ばれ、ジョンは**16歳にして億万長者**になった！

事業計画の前に必要な4つのステップ

今、この本を読んでいる君の頭の中に、いきなり数えきれないほど多くのアイデアが浮かんできたかもしれない。

でも、気が散ってチーズサンドイッチのことをボーッと考えてる人もいるかもね。

いずれにしろ、起業には計画が欠かせない。

ビジネスプラン、つまり**事業計画**が必要なんだ。

事業計画があれば、会社を始める前に問題を察知できる。

今この瞬間に、その問題をパッと解決していけば、時間とお金をかけた後に問題が出てくるのを避けられる。

青い小物を1000個もつくった後で、お客さんがほしがっていたのは赤い小物だった、と気づいたら困るよね？

最初はすごく簡単な事業計画でいい。1ページで大丈夫！

すごく便利な**「簡単事業計画」**テンプレート（「事業計画を1ページにまとめよう」）を巻末（172ページ）に載せておくね（自画自賛）。

起業のアイデアがある場合は、このテンプレートを使って詳細を詰めるといい。

アイデアがない場合には、**自分を鼓舞するツール**にしてもらえるといい。
でも、事業計画を書き込む前に、次の**4つのステップ**をきっちり踏もう。

【ステップ❶】 すんごいアイデア

成功するすぐれた事業のはじまりは、偉大なアイデアだ。
すでに頭にアイデアがあるなら、最高。
「簡単事業計画」テンプレートの「ビッグアイデア」の欄にそのアイデアを書き込もう。

頭が真っ白？　落ち着いて、次のことを試してみるといい。
表の質問（次ページ）すべてに答えを埋めていこう。
すると、儲けのアイデアが湧いてくるかもしれない。
もっとヒントがほしい？
インターネットで探したり、友達や家族に聞いたり、アイデア探しのためにできることをなんでもやってみよう。
でも現実的にね、ひと晩でiPhoneは発明できないよ。

すんごいアイデアに共通する４つの「D」

アイデアをいくつか思いついたら、どれを選ぶ？
その判断の助けになるのが、**すんごいビジネスアイデアに共通する４つの「D」**だ。その４つとは……ジャジャーン！

ちょっと違うもの（ディファレント）

重力に負けないポップコーンなんて難しいものを発明しなくてもいいんだ。
ただ、他のポップコーンと違って目立つ特徴があればいい。
特殊なハーブや香料を使うとか、容器がすごくしゃれているとか、**何か違っている**ことが大切だ。

人がほしがるもの (デザイラブル)

　君のメイクアップ動画は小学生に人気かもしれない。

　その人たちが君の将来のお客さん（ターゲット層）だ。その人たちを探しにいこう。

ワクワクするもの (ダイナミック)

　みんながワクワクするアイデアでなくてもいいけれど、**お客さんがワクワク**してくれるものでないといけない。

　それに**君自身がワクワク**できるほうがいい。

　犬の散歩みたいに単純なことでもいいし、**チワワ用の手づくりレインコート**のような世界で一つだけのものでもいい。

　どんな事業にしろ、君の時間がものすごく取られてしまう。

考えて みよう	答え (例)	お金になる アイデア (例)	君の答え	お金に なりそうな アイデア
君が楽しんで やっていること	自転車	地元の街や市の 自転車ツアー		
すごく 得意なこと	両親に コンピュータの 使い方を教える	高齢者向け コンピュータ サービス		
君が大切にして いること	環境	環境にやさしい 商品の見つけ方 を教える		
みんなが必要と しているけれど、 誰も持っていな いもの	自動車の後部座 席に置く、 子どもの持ち物 整理グッズ	つくる！		
君が心から 尊敬する人/ その人の職業	すごくおいしい パイを焼いてく れる、私の おばあちゃん	おばあちゃん秘 伝のレシピで つくったパイを 販売する		

だから**君が楽しめるもの**でないといけない。

実行できること (ドゥーアブル)

「地球低軌道ツアー」は、ちょっと早すぎるし、難しすぎるかもしれないね。
　もう少し簡単なことに挑戦しよう。

【ステップ❷】マーケティングにこだわる

　商品を売るにしろ、サービスを提供するにしろ、マーケティングがなければ**ただのごっこ遊び**のようなものだ。
　マーケティングとは、何だろう?
　君の商品やサービスをどうやって知ってもらうかということだ。

　たとえば、実際に商品を相手に見せたり、チラシを配ったり、ウェブサイトをつくったり、飛行船から垂れ幕をぶら下げたりするのもマーケティングといえる。

　お客さん向けのマーケティングを考える前に、相手が誰かを割り出そう。
　お客さんになってくれそうな人たちは「ターゲット層」と呼ばれる。
　つまり君の商品またはサービスにお金を払ってくれそうな人たちだ。
　チワワ用の手づくりレインコートのことは覚えてる?
　犬を飼ってない人にお知らせしてもムダだよね。
　手づくりレインコートはぜいたく品?
　だとしたら、余分なお金のある人を狙ったほうがいい。
　ペット禁止のマンションにチラシを置いても仕方ないので、裕福な人たちがいる犬にやさしいコミュニティの掲示板に広告を出したほうがいいだろう。

マーケティングの４つの「P」ってなあに?

　ターゲット層がわかったら、あと**4つ**考えてほしいことがある。
　幸い、どれも「P」から始まる。

商品・**サービス**(プロダクト)、**価格**(プライス)、**流通**(プレイス)、**広告・販促**(プロモーション)の４つだ。

1 プロダクト

　君がお客さんに売るもの、それがプロダクトだ。

　ここでは次のようなことを考えてほしい。

　ロゴやブランド名はあるか？

　その商品の大きさや特徴、そのサービスの機能はどんなものだろう？

　包装は？　品質はどうだろう？

　返金保証はある？

　「プロダクト」という言葉には、**お客さんに提供するすべての価値が含まれている**ことを心に留めておこう。

2 プライス

　君の商品またはサービスの価格はいくらだろう？

　適正な価格を決める方法は何通りかある。

・商品の製造費用を計算し、それに**一定の利益**を乗せる

　　→君がジャムを売っているとして、ひとビンつくるのに３ドルかかるとしよ

サービスか、商品か？

　どんなビジネスを始めるか、まだ決まっていない？

　レモネード売りからコンピュータ修理まで、どんなビジネスを選ぶにしろ、サービスか商品か、その両方の組合せかのいずれかになる。

●サービス

始めるのはサービスのほうが簡単だ。庭仕事、赤ちゃんのお世話、掃除など。

でも、社員を雇わない限り、一日に働ける時間の長さで収入は限られる。

●商品

商品はちょっと難しい。仕入れにお金が必要だし、他にないものを見つけるのもひと苦労だ。でも商品が人気になれば、お金が儲かるよ。

子ども向けの簡単な
ビジネスアイデア

サービス

- ペット、子ども、家族イベントの写真や動画を撮影する
- ホリデーシーズンに贈り物を包装したり、家の飾りつけをしたりする
- データ入力、文字入力などのコンピュータスキルを教えたり、それを使ってパンフレットやポスターやウェブサイトをつくったりする
- 音楽を教えたり、家庭教師をしたりする
- 赤ちゃんをお世話したり、両親を助けたりする
- 水泳を教える
- ペットのお世話、犬のお風呂、犬の散歩をする
- 留守番をしたり、植物の世話をしたりする
- 掃除機がけ、床磨きや窓拭き、ガレージや屋根裏や棚の整理をする
- 洗車する
- おつかいをする。食料品の買い出しに行き、荷物を運び、食品を保管する
- フェンスや家具にペンキを塗る
- 芝生を刈り、落ち葉を拾い、雪かきをする
- 人を楽しませる：子どものお誕生会でピエロやミュージシャンや手品師になる
- ご近所の人のためにガレージセールやその他のイベントを開く
- ビンや缶を集めて店に戻す

商品

- 商品をデザインし、つくって売る
  - 焼き菓子、チョコバー、ペットのおやつ
  - 鳥かごや餌箱
  - 飾りつきTシャツやスニーカー
  - ニット帽、手袋、スカーフ
  - 写真立て
  - カード
  - クリスマス飾り
  - アクセサリー
  - キーホルダー
  - 財布
  - せっけんやろうそく
  - ガーデニング用の鉢植え
- 中古自転車やおもちゃの売買
- 売店を建ててレモネード、ジュース、フルーツ、野菜、花などを即売する
- 古着屋で洋服を委託販売してもらう
- 中古本、CD、DVDなどを地元の店に持ち込んだり、ウェブサイトで売ったりする
- 壊れた家電を引き取り、修理して売る
- 自動販売機を置く
- 鶏、うさぎ、豚を飼育して売る

う。最低25％の利益を得るとしたら、３ドルに25％乗せて、３ドル75セントで売る。

・ライバルを調査し、その価格の**少し上か下**で売る

・いくらならこの商品に**お金を払うかをお客さんに聞く**

・ある価格で商品やサービスを売り出してみて、その結果によって値段を変える

→すごく売れているなら、値段を上げてもいい。
　売れていないなら、下げればいい。

もう一つ、価格とは、**君がお客さんに提供する価値でもある**ことを心に留めておこう。

もし近所の他の子どもも芝刈りのアルバイトをしていたら、同じ値段で芝刈りと雑草取りを提案するといい。

クッキーを売るなら、**かわいい容器**に入れるといい。

すると君のプロダクトの価値が上がるはずだ。

チワワ用の
手づくりレインコートを
宣伝しよう！

3 プレイス

お客さんたちはどこで君の商品やサービスを手に入れられる？

オンライン？　それともリアル店舗？

ターゲット層がどこにいるかを考え、彼らが手に入れやすいようにするといい。

もし君が洗車サービスをするなら、汚れた車のある場所を探すといい。

お客さんが一番必要とするときに手に入れやすい場所にプロダクトを置こう。

食品スーパーで、チーズディップがトルティーヤチップスのすぐ隣に置いてあるのに気づいたことはあるかな？

こうやって、お店はたくさんチーズディップを売っているんだ。

4 プロモーション

さて、いよいよ宣伝の出番だ。

最初のビジネスでは、**最低限の費用で最高の効果**をあげたいよね。

お客さんの目と耳をクギづけにする９つのやり方を紹介しよう。

・口コミ

人は広告よりも**他の人の言うこと**を信じるものだ。

君のプロダクトに満足しているお客さんに頼んで、友達に話してもらうといい。

友達を呼び込んでくれるお客さんに、**割引**を提供するともっといい。

・ウェブサイト

ウェブサイトをタダ同然でつくるサービスはたくさんあるし、ブログにはもちろんお金がかからない。

クラウドファンディングってなあに？

クラウドファンディングは、事業を起こして成長させるのに必要なお金を調達する方法の一つだ。

通常、すごくたくさんの人たちからウェブサイトを通して、お金を寄付してもらう。

寄付者はたいてい何かを見返りに受け取る。

見返りはカッコいい腕時計だったり、サイン入りの映画ポスターだったり、場合によっては誰かの起業を助けたといういい気分だけだったりする。

　少なくとも最初から凝ったものはいらない。

　基本的なテンプレートを選んで、プロダクトの宣伝を書き、知り合いみんなにリンクを送ろう。

・イベント

　学校や教会や地域イベントの**お手伝い**を申し出よう。

　そして君の商品やサービスのチラシやポスターを貼らせてもらえないか聞いてみよう。

・名刺

　現代のハイテク社会でも、昔ながらの**紙の名刺**は必要になる。

・マスコミ

　君のビジネスについて**地元紙**に書き送り、君が**子ども起業家**だということを強調しよう。おもしろいと興味を持ってくれる人がいるはずだ。

・チラシをつくる

　チラシをつくったら大量にコピーして、みんなが見るいろいろな掲示板に貼り出そう。

・記事を書く

　『ニューヨーク・タイムズ』に記事を書こうってわけじゃない。

　地元の小規模な新聞や雑誌なら、寄稿文を掲載してくれることも多い。

　記事を載せてくれるブロガーもいる。自分の知識を活かして記事を書こう。

　そして**連絡先**は必ず書いておこう。

・自分ブランドの商品を着る

　自社のロゴ入りTシャツをつくって着るといい。

　それが素敵な会話のきっかけになるはずだ。

・動画をつくる

　動画といっても、凝ったものでなくていい。

　商品やサービスを紹介する簡単なビデオをつくろう（スマートフォンで撮っ

てもいいし、誰かからスマホを借りてもいい)。

　みんなが閲覧できるように動画をアップロードして、リンクを拡散しよう。

【ステップ❸】アイデアでお金を儲ける

　もうアイデアはあるね。

　ここでいよいよビジネスを成功させる**第1の法則**に従うときだ。

　それは**利益を出す**こと。

　利益とは、すべての費用を支払った後に残るお金のことだ。

　収入が費用より多くないと、利益は残らない。

　サービスを提供するとき、収入は「働く時間×時給」だ。

　商品を売る場合には、「1個あたりの値段に販売個数をかけた金額」が収入になる。

　まずは**ひと月**、または**1年**という時間軸で、どのくらいの収入があるかを予測してみよう。

　費用とは、ビジネスにかかるすべての出費だ。

　ひと月、または1年の間に使う出費を全部計算してみよう。

「備品」といったわかりやすい出費の他に、「販促資料」などわかりにくい出費もすべて含めよう。

　大きいものを買ったときには、その費用をもっと長い期間に割り振ることができる。

　それを利用する月数で出費を割り、ひと月分の費用を予測する。

　たとえば、庭仕事のビジネスのために300ドルの芝刈り機を買い、それを1年間に割り振るとしよう。

　300ドルを12で割ると、ひと月25ドルになる。

　総収入から総費用を引くと、君のビジネスでお金が儲けられるかどうかがわかってくる。

　もし赤字なら、利益が出そうにないので、何かを変えてみたほうがいい。

　材料をもっと安く仕入れられるか?

もっと値段を上げられるか？

マーケティング費用を下げられるか？

黒字になるまでいろいろ考えてみよう。

それでもダメなら、別のアイデアを試すか、誰かにアドバイスをもらったほうがいい。

商売を始める前に事業計画を立てる利点は、利益が出るかどうかがわかることにある。

口座を分ける

個人のお金とビジネスのお金がごっちゃだと、利益が出ているかどうかわかりにくい。

すでに個人の貯蓄口座があれば、同じ銀行か信用組合にビジネス用の別口座を簡単に開けるだろう。

銀行で頼んでみよう。きっと助けてくれるはずだよ。

ビジネスで使ったすべての出費はレシートを取っておくこと。

そう、**レシート**だ。

「いつも捨ててる、あれね？」

そうなんだ。レシートを取っておけば、出費を全部足し合わせることができ、**税金を節約できる**。これで君も現実のビジネス界に仲間入りだ。

【ステップ❹】商売をスタートする

事業計画の細かい点は、詰められたかな？

よし！　なら計画はここまでにして、**実行**に移ろう。

商品を一定数つくって、近しい人たちに試してもらおう。

知り合いのご近所さんにサービスを提供し始めよう。

今この時間にも、ライバルが君の商売を奪おうとしているかもしれないよ。

そんなことさせていいのかい？

売り込み開始だ！

帳簿をつけないと、わからなくなっちゃうよ

ビジネスとは利益を出すことなんだ。

ビジネス用の口座をつくって収入と支出をきちんと記録し、残高が正しい方向に向かっているか確かめよう。

最先端のソフトウェアを使ってもいいし、昔ながらの紙のノートに書き込んでもいい。どちらでも大丈夫。

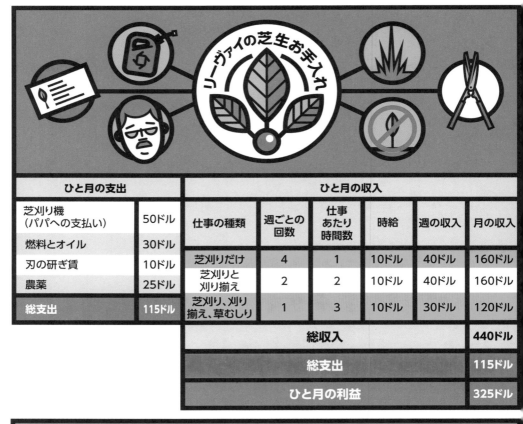

ひと月の支出	
芝刈り機 （パパへの支払い）	50ドル
燃料とオイル	30ドル
刃の研ぎ賃	10ドル
農薬	25ドル
総支出	115ドル

ひと月の収入					
仕事の種類	週ごとの回数	仕事あたり時間数	時給	週の収入	月の収入
芝刈りだけ	4	1	10ドル	40ドル	160ドル
芝刈りと刈り揃え	2	2	10ドル	40ドル	160ドル
芝刈り、刈り揃え、草むしり	1	3	10ドル	30ドル	120ドル
総収入					440ドル
総支出					115ドル
ひと月の利益					325ドル

リーヴァイは、とてもうまくやっているね。
ただ一つだけ考えたほうがいいのは、住む場所によっては春と夏しか仕事ができないかもしれないということだ。
秋と冬に備えて鍬とスノーショベルに投資したほうがいいだろう。

オンラインの予算アプリを使って収入と支出を管理する人も多い。君に合ったやり方を選んでほしい。

　小規模なビジネス向けの予算例をいくつかここにあげておこう。

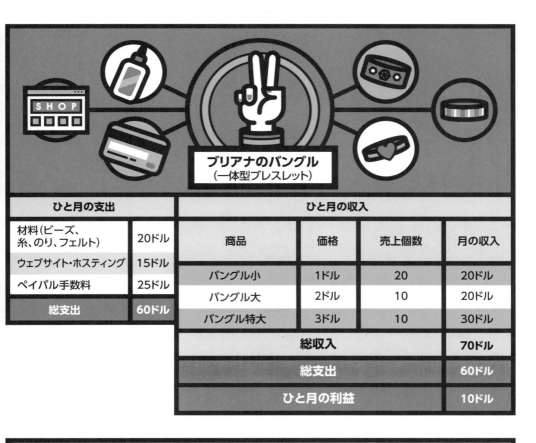

ブリアナのバングル
（一体型ブレスレット）

ひと月の支出		ひと月の収入			
		商品	価格	売上個数	月の収入
材料（ビーズ、糸、のり、フェルト）	20ドル	バングル小	1ドル	20	20ドル
ウェブサイト・ホスティング	15ドル	バングル大	2ドル	10	20ドル
ペイパル手数料	25ドル	バングル特大	3ドル	10	30ドル
総支出	60ドル	総収入			70ドル
		総支出			60ドル
		ひと月の利益			10ドル

ブリアナの利益は**月にたった10ドル**だ。
マーケティングをもっと展開して、支出を絞り、商品をよくして売上を上げなくちゃならない。
幸いにも、収入と支出をきちんと記録しているので、すぐに改善できる。

すごくうまくいったらどうする?

商売を始めて、すべてが計画どおりに運んだとしよう。

よかったね! 成功を喜び、長期目標の１億円に向けて貯金をしよう。

でも、のんびりとあぐらをかいていてはいけないよ。

いつも目を光らせておこう

どうしたら、商品・サービスを改善できるかを探そう。

アンテナを立てておこう

ライバルに負けないよう、常に調査を欠かさず、**お客さんと話をして最新のトレンド**を学ぼう。

税務署はダマせない

助けてもらおう

頭脳を借りよう（文字どおりの意味ではなく、**知恵を借りる**という意味だ）。

友達や家族に意見を聞いたり、お金が余っている場合には誰かに有料で手を貸してもらったりしてもいい。

投資する

利益の一部を**マーケティングやよりよい装備や研修**に注ぎ込もう。

それがビジネスを（お金も）成長させるいい方法の一つだ。

もし、うまくいかなかったら?

商売を始めたものの、計画どおりに進まなかったら?　思ったほどお金が入ってこないとしたらどうだろう?

あきらめちゃダメだ。

忘れちゃいけないこと

まだ子どもでも、お上（政府）に分け前を渡さなくちゃならない（これを「税金」と言う）。

1年間に一定金額以上を稼ぐと、個人事業主として税金を支払わないといけなくなる。

ただし、君が18歳未満で、赤ちゃんのお世話や草むしりといった家庭の仕事をしている場合は別だ。

念のため内国歳入庁（IRS、日本の場合は税務署）に聞いてみるのが一番だ（IRSがなんだかわからない場合は、すぐに調べてほしい）。

IRSは無料で税金相談を受け付けてくれるので、ウェブサイトを見てみよう。

税法はしょっちゅう変わるので、必要なことをきちんとチェックしておこう。

あとでIRS（税務署）から「税金を払っていないから納めてくれ」と言われたくないはずだからね。

でも、大金持ちにはよくあることだ。

本当にがっぽり儲け始めたら、税理士や会計士に相談したほうがいい。彼らなら慣れているからね。

パニックにならないで

売り込みを続けよう。成功は思ったより近いかもしれない。

調整しよう

どこが悪いのかを見つけて、直す努力をしよう。
値段が高すぎる？　間違ったお客さんを狙ってる？

旅を楽しむ

おそらく、君のビジネスは好きなことから始まっているはずだ。
リラックスし、楽しみ、商売が上向きになるか見てみよう。

なぜ、「連続起業家」は成功したのか？

億万長者の中には「**連続起業家**」といわれる人も少なくない。
連続起業家とは、一つの儲かるアイデアを成功させて打ち止めにするんじゃなく、**また次を成功させる人たち**だ。
ディスコダンスを教える人もいれば、自分の雑誌を創刊する人もいれば、地球の軌道を回る人もいる。
この億万長者たちは、**ありとあらゆることに挑戦**している。
たとえば、右の３人がそうだ。

失敗を恐れるな

最初のビジネスがうまくいってない？
よくあることだ。
成功と失敗の分かれ目は、あきらめないことかもしれない。
ケンタッキーフライドチキンを創業した**カーネル・サンダース**（1890〜1980）は**1000軒以上のレストランに断られた**末にやっと、彼のスパイスで味つけしたチキンを売ってくれる人を見つけたんだ。
それに、トマス・エジソン（23ページ）とスティーブ・ジョブズ（75ページ）の話を覚えてる？

オプラ・ウィンフリー（1954年生まれ）

- 地元の食料品店で最初のアルバイト
- 16歳のとき、地元のラジオ局でニュースを読む
- 19歳でテレビのニュースキャスターに
- AMシカゴの司会者になり、これがのちに『オプラ・ウィンフリー・ショー』と改名
- 制作会社ハーポ・プロダクションズを創業
- 映画『愛されし者』（1998年）を制作
- 雑誌『O ザ・オプラ・マガジン』を創刊。24時間ケーブルチャンネルのザ・オキシジェン・ネットワークを創立
- 100万ドル以上を投資し、『カラー・パープル』をブロードウェイでミュージカル化
- XMサテライト・ラジオが『オプラ・アンド・フレンズ』を放送開始
- テレビ局OWNを創立

マーク・キューバン（1958年生まれ）

- 12歳のとき、ゴミ袋の販売でお金を貯め、バスケットボールシューズを買う
- 大学1年のとき、ダンス講師として稼いだお金で学費を払う
- 銀行に就職
- PCソフトウェアの販売を始める
- ソフトウェアプログラミングとコンサルティング会社を起業
- インターネットラジオ会社「ブロードキャスト・ドット・コム」を創業
- ダラス・マーベリックス（テキサス州ダラスに本拠を置く全米プロバスケットボールチーム、略してマブズ、マブスとも呼ばれる）を2億8500万ドルで買収
- 総合メディア企業を立ち上げ
- 全米ネットワークのABCと一緒にリアリティ番組のシリーズを制作
- 「ハイテク便座」に投資
- 人気リアリティ番組『シャークタンク』にキャストとして出演

リチャード・ブランソン（1950年生まれ）

- 11歳で学校の友達にクリスマスツリーとセキセイインコを販売
- 16歳で雑誌『スチューデント』を創刊
- レコード通販会社のヴァージンを創業
- ロンドンにヴァージン・レコードの店舗を開く
- 音楽レーベルのヴァージンを創立
- ヴァージン・ブックスを立ち上げ
- 航空会社のヴァージン・アトランティックを創業
- ヴァージン・モバイルを立ち上げ
- ヴァージン・マネーを立ち上げ
- ヴァージン・グリーン・ファンドを通じて再生可能エネルギーに投資
- 一人20万ドルで乗客を宇宙旅行に送る商業ロケット計画を公開
- ヴァージン・ホテル開業

彼らの共通点は何だろう？

計画だ。

うまくいかないときは、**計画に戻ってどこで間違ったかを突き止める**んだ。

もしかすると、次のカーネル・サンダースは君かもしれないよ。

この章のまとめ

1　計画を立てる

事業計画がしっかりしていれば、成功の確率は高まる。
ビジネスを始める前に問題を考えぬくことができるからだ。
4つの「P」（86ページ）と**4つの「D」**（84ページ）を思い出そう

2　小さく始める

あまりお金を使わずに、ビジネスを始めるほうがいい。
テラスのお掃除サービスを始めるなら、チラシを刷って近所に配るだけでいい

3　お金の流れを記録しよう

個人とは**別の口座**を開いて、**収入と支出を記録**しよう。
一定期間のうちに利益が出ているかどうかを知るにはそれしかない

4　実行あるのみ

最高のアイデアも、しょせんはただのアイデア。
ビジネスの土台を築くには**努力と粘り強さ**が必要になる。
特に１億円を貯めるには、努力と忍耐力が欠かせない

第 7 章

貯めて、貯めて、貯めまくる

お金を使うことは誰にでもできる。

現金を渡して、ほしいものをもらえばいい。

問題は、まずはじめに、そのお金を手に入れることだ。

お金を使うばかりでは、いつまで経っても億万長者になれない。

でも、大金持ちがやっているように、お金を貯めていれば、死ぬまでひたすら貯めなくてもすむ。

1億円のほんの一部だけ貯めて、あとは君のお金に働いてもらえばいい。

小さなうちから貯めることを覚えれば、それだけ早く目標に近づける。

貯金はカッコいい!

貯金はダサいと思っている人もいる。

大金持ちらしく見えれば、大金持ちだと思い込んでいるんだ。

でも残念ながら違うし、彼らは一生お金持ちになれないだろう。

大人になるにつれ、すごくたくさんお金を持っていた人でも、だらしなく暮らし、お金を貯められなかった話を何度も聞くようになる。

それどころか、ものすごい借金を背負ってしまった人の話も聞くだろう。

小銭をコツコツと貯めるのは、なによりもカッコいいことかもしれない。

貯金が増えると、**経済力と自信**も増す。

貯金できるように、自分を訓練しよう。

少し練習するだけで、**上手に貯金**ができるようになるはずだ。

お金の貯め方(短い説明)

お金を使うな。終わり。

マジで、使うな。

それに尽きる。

お金の貯め方（長い説明）

とはいえ、お金を貯めるのはちょっとややこしい。
理論的には簡単だ。
入ってくるお金（収入）より、出ていくお金（支出）を少なくする。
でも、いつ使って、いつ貯めたらいい？
甘い誘惑に打ち勝つにはどうしたらいいんだろう？
だんだん貯まっていくお金をどう守ればいい？

そのコツは、**「必要なもの」と「ほしいもの」を区別する**ことだ。

お金を貯める究極の質問

起業資金を貯めるために、毎日ラーメンですませている学生の話をたまに聞く。
そこまで我慢できる人は多くない。
だから**「必要なもの」**と**「ほしいもの」**を知っておいたほうがいいんだ。

「必要なもの」は、生きていくための必需品だ。
食料、水、衣服、寝る場所。

一方、「ほしいもの」はあったらいいなと思うもの。
気分をよくしてくれるものや、生活を便利にしてくれるもの。
あるいは自分を目立たせてくれるものだ。
それがなくても死にはしない。
でも、すごくほしくなってお金を使ってしまう。
水は「必要なもの」だ。ブランドものの炭酸水は「ほしいもの」。

寝る場所は「必要なもの」。

　お城のような御殿は「ほしいもの」。

　交通機関は「必要なもの」。でも、スポーツカーは「ほしいもの」。

「必要なもの」と「ほしいもの」を分ければ、判断しやすくなってお金も貯まる。

　こう自問してみよう。

「もし〇〇〇〇がないと、物理的に生きていけないか？」

　もし答えがNOなら、よかった！

　それは必要ないものだから、お金を使わずにすむ。

　今のはちょっとやりすぎかもしれないけれど、誰しも必要以上のものを求めてしまうものだ。

支出を抑えることを学ばなくちゃいけないよ。

1億円を貯め始める一番いい方法

　お金を貯めるといっても、引き出しの中の靴下の奥に現金を隠しておくわけじゃない。

　なぜかって？

　貯金は難しいんだ。

　ポケットの中で重くなっていく札束が、甲高い声で**「使って、使って！」**と叫んでくるからね。

　その誘惑をはねのけ、銀行か信用組合にお金を閉じ込めておいたほうがいい。

　なぜかって？

使ったお金は、2度と戻ってこないからだ。

　もしかすると、なくしてしまうかもしれない。

　家族の誰かが勝手に「借りて」、返すのを忘れてしまうこともある。

　どろぼうに盗まれることだってあるんだ。

　安全に上手にお金を貯めるには、銀行か信用組合に貯蓄口座を開いてほしい。

そして定期的にその口座に入金しよう。

それが、**1億円を貯め始める、一番いい方法**だ。

もう一度言うよ。

それが、**1億円の貯金を始める、一番いい方法**なんだ。

銀行か？　信用組合か？

　銀行と信用組合は商品もサービスも似ているけれど、違うところもある。

　銀行は**営利企業**で、株主（銀行の株式を所有している人たち）のために**利益**を出さないといけない。

銀行にお金を預ける3つの理由

銀行か信用組合にお金を預ける大切な理由が3つある。

1　安全

銀行や信用組合は君のお金を安全に守ってくれる。

豚の貯金箱よりずっと安全なんだ。

政府の保証で守られているからね。

もし銀行が強盗にあっても、君のお金は安全なんだ。

2　金利

銀行は君のお金を使わせてもらう代わりに、君にお金を払ってくれる。本当だよ。

それが「金利」ってやつだ。

前に少し話したよね。

銀行も信用組合も、君が預けたお金を（一定額を準備預金に回した後）他の人や企業に高い利子で貸しつける。

最近はあまり金利はつかないけれど、タンスに入れておくよりはマシだよ。

3　ムダづかいが減る

「去る者は日々に疎し」ということわざがある。

人間って、目に入らないと、忘れてしまう生き物なんだ。

お金が手の届かないところにあると、使いたい誘惑も少なくなる。

何かを衝動買いしたくなっても、お金が金融機関にあれば手をつけにくいよね。

お金をなくしたり、盗まれたりしたときのために、アメリカの銀行の貯蓄口座は、ほぼすべて連邦預金保険公社(FDIC)によって保証されている(日本でも1971年、FDICをモデルに預金保険機構が設立され、一定限度額まで保証されている)。

　一方、信用組合は**非営利組織**で組合員(信用組合の加盟員)が所有している。
　信用組合のおもな使命は**組合員を助ける**ことだ。
　だから、貯蓄口座の金利が銀行より高かったり、手数料も銀行より低かったりする。
　誰でも組合員になれるけれど、その州の住民でないとダメな場合もある。
　貯蓄口座と普通口座の両方があり、中小企業向けローンや住宅ローンなど幅広いサービスを提供する信用組合もある。
　銀行と同じように、預金は全米信用組合管理機構(NCUA)によって保証されている。
　手数料のかからないATMがいたるところにあるほうがいいなら、全国的な大銀行(メガバンク)を選ぶといい。
　でも、金利が高くて手数料が安いほうを望むなら信用組合がいいだろう。
　大切なのは、**君のお金の目標に合った選択**をすることだ。

貯蓄口座の開き方と「PYF戦略」

　アメリカでは、貯蓄口座の一種に「**未成年口座**」というものがある。
　未成年口座は、君が18歳未満(アメリカの州によっては21歳未満)の場合は、親か後見人に助けてもらわないと口座が開けない(日本では口座開設が可能なところがある)。
　このときに、助けてもらう大人を「**カストディアン**」、つまり「**管理者**」という。
　学校の施設を管理する人と同じように、君のお金を管理してくれる人のことだ(でも、床掃除はしないけどね)。
　君が心から信頼できる人を管理者に選ばなくちゃいけないよ。
　その人が君にできるだけお金の判断をさせてくれて、その貯蓄口座が本当に君のものだと思えるのが理想だ。

君が18歳（州によっては21歳）になったら、貯蓄口座は君が管理していい。
　その他にも、未成年口座についていくつか知っておいたほうがいいことがある。

・未成年口座のお金は、法律上は君のものだ。
　ただし、取引を行えるのは管理者だけなんだ。

・未成年口座の所有者（君のこと）は、オンラインで残高をチェックすることができる。その点は普通の貯蓄口座と変わらない。

・未成年口座は貯金のための口座だ。
　月に引き出せる回数に制限があったり、引き出す際に手数料がかかったりすることもある。

　大切なのは、**今すぐ貯蓄口座を開く**ことだ。
　すぐ近くの信用組合でもいいし（まだ運転できないから）、ATMがたくさんある銀行でもいいし、ラクしたいなら親と同じ金融機関でもいい。
「おこづかいを預けたいので、お願いします！」
　と言えるかな？

　この話は前にもしたと思うけれど、大切だからもう一度言っておく。
　おこづかいをもらったらどうする？
　新しいゲームをダウンロードしたいかもしれないし、新しいジーンズがほしいかもしれないし、新しいスマホが本当に必要かもしれない。
　でも、いつも何かを買っていたら、貯金なんてできないよね？

　つまり、**お金を使わないことが一番。まず自分に送金しよう**（前に触れた**PYF**だ）。
　毎回そうするんだよ。

　PYFとは、ポケットや貯金箱にお金が入るたび、使う前に**その一部を貯蓄口座に入れる**ことだ。
　まず貯金してから、その後に使うようにしてほしい。

金額はお給料をもらうたびに10ドルと決めてもいいし、おこづかいの20%にしてもいい。

　それを予算に組み入れ、**まず自分に送金**する。

　それが「**PYF戦略**」だ。

　お店に行く前に、**お金が銀行の貯蓄口座に届く**ようにするんだ。

　そうするための一番簡単なやり方は？

　自動引き落としにすることだ。

　毎月貯蓄口座に決まったお金が自動的に振り込まれるようにするといい。

　銀行でも信用組合でも設定してくれる。

まず真っ先に自分に送金 (PYF)

　アメリカには、900を超える「学校内信用組合」があるのを知ってた？

　学生のために学生が運営する信用組合が学校内にあるんだ。

　ランチ代が簡単に引き出せる。

　ほとんどの学校内信用組合は貯蓄口座と普通口座しかないけれど、もし幸運にも組合員になれたら、管理者はいらないよ。

まず自分に送金しよう。
この本の中でも一番簡単なコツだ。
忘れちゃいけないよ。
書き留めておいて。
タイプしてもいい。
文字を刺繍_{（ししゅう）}してもいい

　おそらく毎月、ひと月の目標貯蓄額を**別口座に送る**のが、目標達成への早道だろう（そうすれば、誘惑にも負けないしね）。

　ただし、送金額が最初の口座にあることを確かめて。

貯金を習慣にしよう

　継続は力なり。

　どんなに少額でも、毎週か毎月、定期的に貯金することがなにより大切だ。

　それを続けてほしい。

　「銀行にお金がある」と感じられるようになるには、3か月か、もしかすると6か月ほどかかるかもしれない。

　でも、そのうち**貯金が習慣**になる。

　すると、毎週お金を少しでも貯金しないと、**気持ちが悪く**なるだろう。

大金の成る木も最初は小さいかもしれないが、
大きく育てることができる

銀行か信用組合かを決める質問リスト8

いくつかの金融機関を訪ね、金利と手数料とサービスと特典を比べよう。
それから君に一番合う金融機関を選ぼう。
細かい条件がついている場合もあるので、**次の質問**をしてみよう。

☐ **貯蓄口座の金利は何%ですか？**
（今は金利が低いけれど、それは仕方がないね）

☐ **貯蓄口座と普通口座の管理手数料はいくらですか？**

☐ **残高不足の場合の手数料はいくらですか？**
（預金額よりたくさん使ってしまうと、「残高不足」で手数料がかかる。これは痛い。めちゃめちゃ痛い出費だ。そこで、大金持ちと同じく、必ず口座の最低残高を超える金額を維持しよう）

☐ **貯蓄口座を開くための「最低預入金額」はいくらですか？**

☐ **支店は何店舗ありますか？**

☐ **ATMはどこにありますか？**

☐ **オンラインバンキングはできますか？**
（21世紀だからできて当たり前！　もしできなかったら、この銀行から出て行ったほうがいいね）

☐ **スマホアプリはありますか？**

お金持ちのセレブがやっている10の貯金リスト

　少額でも貯金を習慣にできれば、そのうち残高が増えて、増えて、増えていく！

　貯金を始めるにあたって、お金持ちのセレブ（とあまりセレブでないお金持ち）がやってい

るリストをここに紹介しておこう。

☐ **思いがけない逆風**に備えよう。
　　おじさんにもらった20ドルをそのまま銀行に入れておこうね

☐ **衝動買い**を避ける

☐ 予算を立てて**支出を記録**する

☐ **支出を減らす方法**を常に考える

☐ デビットカードとクレジットカードを家に置いて出る（もし、カードを持て
　　る年齢なら）。カードではなく**現金**を使う。そうすればあまりお金を使わず
　　にすむ

☐ 定価で買わない。インターネットで**最安値**を探そう

☐ 学校に**お弁当**を持参しよう

☐ 預金金利の**一番高い金融機関**を探そう

☐ 貯金を**自動化**しよう。自動引き落としで貯蓄口座に送金しよう

☐ 貯金を**ゲーム**にしよう。今月はいくら貯められる？
　　友達と競争してもいい。**1億円に早くたどり着くレース**をしよう

人生で最高のものはタダ

大金持ちになるのは、お金を使わないということだ。
でも、楽しんじゃダメなの？
そんなことはない。
君の街のタダの活動をインターネットで調べてみよう。
お財布にやさしい暇つぶしがたくさん見つかるはずだ。

・美術館はひと月のうち一度は、だいたい無料の日がある。
・自然はたいていタダだ。投げたり蹴ったりするものを持って公園に行こう。
・図書館に最近何が入荷したかを見てみよう。
金融雑誌の最新号をチェックしたり、映画をチェックしたりしてもいい。
しかも、本がある。みんな無料だ！
・友達と「ケチケチクラブ」をつくろう。
毎月一度みんなで集まって、主催者が安い食べ物とお楽しみを持ち寄る。一人5
ドルでも楽しめるよ。

「貯蓄筋」を鍛えるチャート

　ボディビルダーがウエイトを上げるのを習慣にしているように、貯金の目標に到達するには、お金を貯めることを習慣にしなければいけない。

　右のチャートを活用して創意工夫し、規律正しく**「貯蓄筋」**を鍛え、**貯金力**をつけていこう。

　途中でちょっと失敗しても大丈夫。

　あちこちで我慢して軌道修正すれば、正しい道に戻れるよ。

今日から、今すぐ始めよう!

　ここまでくると、壊れたレコードみたいに同じことばかり繰り返しているように思われるかもしれないけれど（レコードを知らない人は、辞書を調べてね）、君が億万長者のように考え、今日から貯金を始めなければ、この本に書いてある情報はどれも意味がなくなってしまう。

　君は我慢強く自分を抑制して、お金を使わずにいられるかな？

　定期的に自分に送金できるかな？

　辛抱して貯金を続けられる？　本当にできる？

　それならよかった。最初は貯金額もすごく小さいし、取るに足らないと思うかもしれない。

　でも、ある朝目覚めて、貯蓄口座に「10万円ある」と気づくんだ。

　準備はいいかい？

　これから**本物の億万長者への道を歩き始める秘訣**を教えるよ。

最終目標は
1億円！

**短期目標:
年間500ドル（5万円）
貯める**

貯蓄口座を
開いて
初めての入金。
やった！

利子がさらに
入ってきた

友達とモールで
買い物。
予算オーバー

（1ドル73セント。
少しでも足しになる!）

利子を
もらう

**まず自分に
送金する！(PYF)**
毎週金曜に
貯蓄口座に送金
する

デビット
カードを家に
置いて現金
しか使わない

（37ドル52セント
散財）

（11ドル追加）

（どんなに少額
でもいいんだ）

「支出日記」
を書き
始める

余ったお金を
貯金

中古の
教科書を
買う

**タダで
遊ぶ日！**
モールに
行かずに友達
とフリスビー

1億円への
「億万長者
マインドセット」
を取り戻す。
オンラインで
古着を販売して、
予算の穴埋め

（21ドルの節約）

（78ドルの節約）

映画に
行くのを
来月に延期

学校に
お弁当を
持参

元どおり！

（27ドル戻った）

（6ドル41セント
の節約）

（5ドルの節約）

インターネットで
一番安いメイク
アップ用品を探す

おこづかいを
全額貯金

（5ドルの
節約）

今月はお金が
厳しいので、
ベビーシッター
のアルバイト

学校に
お弁当を
持参

（45ドルゲット）

（やった！
50ドル増えた〜）

この章のまとめ

1 **お金を使わない方法**を考える

2 **「必要なもの」**と**「ほしいもの」の違い**を知る

3 **貯蓄口座を開いて定期的に送金**し、貯めて、貯めて、貯めまくる！

4 まず**自分に送金する(PYF)**

5 繰り返すね。**貯めて、貯めて、貯めまくる！**

第8章

複利は
宇宙最強の力

アインシュタインは、「複利は人類最大の発明」と言ったとか言わなかったとか。

でも、もしそう言っていたとしたら、彼は正しい。

複利は"宇宙最強"の力だ。

アインシュタインの言葉はともかく、この本の中ではあえて、**複利は宇宙最強の力**と言っておこう。

1万円を1億円に育てるために、複利を学ぶことはとても大切だからね。

ハッとした？　そうだよね。

隠された真実を知ろう

貯蓄口座にお金を入れておくのは、銀行にお金を貸しているのとある意味同じことになる。

君が銀行にお金を預け続けると、ちょっとした「利子」がもらえる話は覚えてる？（107ページ）

よし！

たとえば、1万円を貯蓄口座に入れておくと、利子（ここでは「複利(ふくり)」と区別する意味で「単利(たんり)」というね）がつくとしよう。

その利子は元本に対して支払われる（元本とは、**君が預け入れた金額**のこと）。

複利の魔法はここから始まる

この場合は 1 万円だ。

　君の 1 万円に年 5 ％の金利がつき、君は追加でお金を預けないとしよう。

　すると、君は初年度に500円もらい、次の年も500円もらい、その次の年にも500円もらい……となる。10年後、君の口座残高は 1 万5000円になっている。これが「単利」の場合だ。

驚いてぶっ飛ぶよ!　複利のチカラ

　一方、「複利」の場合は、**利子に利子がつく**。本当だよ!
　口座に 1 万円の元本があり、金利は同じ 5 ％で「複利」としよう。
　初年度にもらうのは500円。だから残高は 1 万500円だ。

　でも、次の年からおもしろくなる。
　複利なら、2 年目から元本（1 万円）と金利（500円）の**両方に利子**がつくんだ。

どっちがほしい?

　君はどっちがほしい?

A：1億円

B：1円を毎日 2 倍にして 1 か月間続ける（初日は 1 円、翌日はそれが 2 円になって、3 日目は 4 円、4 日目は 8 円、それが倍になって、また……）

　さあ、もう"罠"だってわかってるよね。
　計算してみよう!

ヒント：答えは複利の力と関係がある

　先に、答えを書いておこう。
　Aも悪くないけど、Bのほうがいいんだ。
　1 円が毎日 2 倍になったら 1 か月で 5 億円以上になる!
　複利の力ってすごい!!

つまり、**1万500円が5％増し**になる。

すると、**1万1025円**になる。

3年目は**元本の1万円と2年分の金利の両方に利子**がついて、**1万1576円**になる。

10年経つと、単利の1万5000円じゃなく、**1万6289円**になっている！

複利の場合には、**利子に利子がつくので、単利に比べて同じ期間で約9％【≒（1万6289円－1万5000円）÷1万5000円】** も多くなるんだ。

1億円を手に入れるのに、1億円を貯める必要はない

どんな意味があるかというと、**1億円を手に入れるのに、1億円を貯める必要はない**ってことだ。

一定金額を貯めれば、そのうちに貯めたお金が複利で増える。

つまり**君のために働き始めて**くれるというわけだ。

どうして？

複利は魔法じゃない。ただの計算だ。

元本と利子が積み上がっていくにつれ、**お金の増え方がますます速く**なっていく。それが複利なんだ。

これが複利の計算式だ

ここに正式な複利の計算式を載せておくね。

さあ、アインシュタイン君、計算してみてね。

$$（計算式）\quad A = P\left(1 + \frac{R}{N}\right)^{NT}$$

A＝残高

P＝元本（初期投資額）

R＝年率金利（複利を反映しない）

N＝1年間に利子が支払われる回数

NT＝貯蓄（貸付）期間

時は本当に金なり!
"複利列車"を早めに走らせよう

"複利列車" を出発させる時期が早ければ早いほど、**お金は速く大きく育つ。**

　1万円の貯金の例に戻り、そのお金を年利5％で貯蓄口座でほったらかしにしていたとしよう。

　単利で50年間ほったらかしにすると、約3万5000円になる。

　指一本動かさずにそれなら上々だ。

　でも、複利なら、50年後に**11万円**を超えている。

　しかも、元本はたったの**1万円**だ。もし元本が10万円で金利が**10%**だったらどうなるか見てみよう（次ページの図）。

　単利だと50年後には10万円が**60万円**になっている。

　一方、複利だと10万円が50年後にはなんと**1200万円**にもなる。

「72の法則」とは?

お金を2倍にするのに何年かかるかを簡単に計算する方法がある。
72を年率固定金利で割るんだ。これを「72の法則」という。
端数までピッタリというわけじゃなくても、だいたいの年数はわかる。
たとえば、1万円に年10％の金利がつく場合、72を10で割ってみるといい。
72÷10＝7.2
ということは、年率平均金利が10％なら、お金が2倍になるのにほぼ7.2年かかるわけだ。難しいけれど、不可能じゃない。

複利が「不利」になるとき

複利が君に不利になることもある。
クレジットカードを使う場合は、複利は得にならない。
君がクレジットカード会社に借りているお金を計算するのに複利が使われる。
しかも金利が高い。
だいたい12～30％だ。お金を借りる期間が長ければ長いほど、借金は膨らんでいく。

秘密のヒミツ

そして、もう一つ大切なヒミツを教えよう。

それは、定期的に元本を足していくということ。

それに、複利の力を使うと効果が跳ね上がる。

次の３つの例を見てほしい。

　ジェイミーとエレンはどちらも15歳。まずはアルバイトやおこづかい、お誕生日プレゼントやお隣さんのお手伝いをして貯めた50万円を元手に投資を始めた。

　どちらも50年間貯金を続け、平均年率リターンは８％だった。

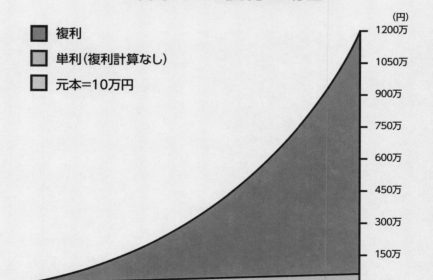

10年間、10%複利の場合

■ 複利
□ 単利（複利計算なし）
□ 元本=10万円

（円）
1200万
1050万
900万
750万
600万
450万
300万
150万
0

0　5　10　15　20　25　30　35　40　45　50 （年）

＊この章で書いた金利は、特に説明のない限り、すべて毎年複利計算になっている

ジェイミーは、最初に50万円入れた後、元本を足さなかった。

　だが、エレンは**毎年10万円**ずつ積み上げた（つまり、ひと月に8333円。これなら、ほとんどの大人にもできるよね）。

　すごい！　元本を長期にわたって積み増していると、どれほどの違いが出るか、下のグラフを見てほしい。

　エレンは毎月8333円を50年間ずっと積み増していっただけで、自分のお金をものすごい額に育てることができた。

　あと数年で**1億円**に到達する。すごいよね。

　もう一つの例を出そう。

　ジャクソンとレイラはお金持ちになりたい。

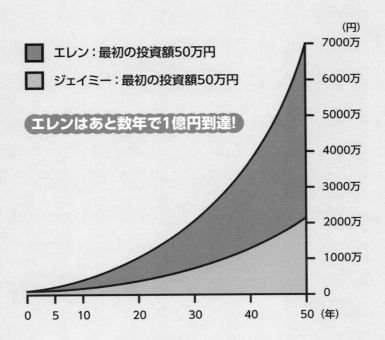

ジャクソンは15歳で10万円からお金を貯め始めた。

平均投資リターンは年率8％だ。

レイラが貯金を始めたのは30歳のとき。

ジャクソンは長い間、複利の力を利用できたので、少ない元手で**1億円**に到達した。

正確には、レイラよりも850万円少ない元手ですんだ。

ジャクソンは長期間、550万円を投資したが、レイラは遅く始めたので1400万円の元手が必要だった（下の図）。

複利の力をフルに活用したければ、**できるだけ多く、できるだけ若いうちに**貯金を始めたほうがいい。

君もいずれは金利の高い別の口座にお金を移したり、投資にお金を回したりするだろう。

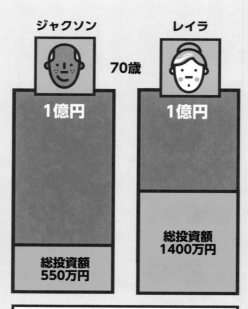

ジャクソン　レイラ

70歳

1億円　1億円

ジャクソンは55年間、毎年10万円投資し続けた

総投資額550万円

ジャクソンが貯金を始めたのは15歳のとき

総投資額1400万円

レイラは40年間、毎年35万円投資し続けた

レイラが貯金を始めたのは30歳のとき

どちらも70歳で1億円に到達したが、レイラの投資額は1400万円なのに、ジャクソンは**550万円**ですんだ

これが、君の「ポートフォリオ」になるんだ。

ポートフォリオとは、**異なる種類の投資の組合せ**という意味だ。

この話は次章で詳しくするけれど、さまざまな投資を組み合わせた場合の複利の例をここにあげておこう。

ジョージアは40歳で550万円を貯めた。

年率平均金利が上昇すると、その後の35年でどれほどの違いが出るかを見てほしい（下のグラフ）。

もし金利が３％の譲渡性預金（CD）に預けっぱなしにしておくと、35年後には約1547万円になる。

だけど、平均金利６％の債券に投資していたら、**4227万円**になるはずだ。

すごくない!?

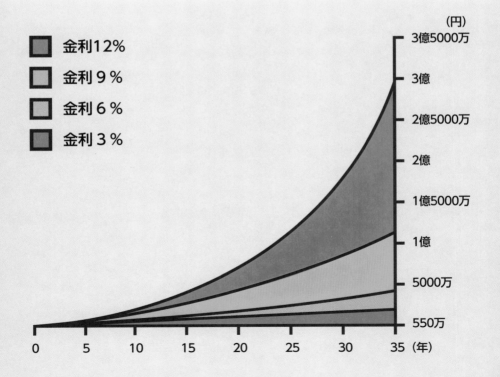

でも、もし株式市場に投資して、平均９％のリターンを得られたら、ほぼ３倍の**１億1227万円**になる。

　実際、ジョージアはすごく頭がよく、株を上手に選んで**平均12%**のリターンを得ることができた。

　そして、たった**550万円が2億9000万円**になったんだ。

　それも複利の力のおかげだ。

　自分の口座に入金を続けよう。

　引き出しちゃいけない。

　そうでないと複利の力が失われてしまう。

　定期的に口座にお金を足し続けるか、投資を積み上げ続けること。

　時間が経てば経つほど、お金がますます**速く大きく**育っていく。

　とにかく、１億円を貯めるまで、アクセルから足を離しちゃいけないよ。

　１億円貯めるには、毎月（ほぼほぼ）どのくらいを貯金に回さなければならないかを見てみよう。

　どのくらい早く目標に到達したいかで、その金額は変わってくる（年率平均金利は８％で毎月支払いの複利計算とする）。

→30年で１億円貯めるには、月に**7万600円**の貯金
　総投資額＝**2541万円**

→40年で１億円貯めるには、月に**3万900円**の貯金
　総投資額＝**1483万円**

→50年で１億円貯めるには、月に**1万4000円**の貯金
　総投資額＝**840万円**

＊税金とインフレは計算に含めない

数学の天才じゃなくても 1 億円は貯められる

　複利を利用することが、速く 1 億円に到達する秘訣だ。

　ちょっとした計算は必要になるけれど、**数学の天才じゃなくても 1 億円は貯められる。**

　アインシュタインでなくても、なるべく若いうちに貯金を始めるのが大切だってことはわかったよね。

　複利が宇宙最強でなかったとしても、**お金の世界で最強**なのは確かだよ。

この章のまとめ

複利を利用すれば、**お金がお金を生み出し**、そうやって生み出した**お金がまたお金を**生み出す。
一日も早く**"複利列車"**を走らせよう

第9章

投資という名の
冒険に出よう

賢い投資家だけがやっていること

　さて、ここまでで短期目標の１万円が貯まっているといいね。

　もしかして、この本を読んですごく刺激を受けて、もう100万円貯まっているかも。だとしたら、おめでとう！

　最初にお金を預けておく場所として貯蓄口座はすごくいい。

　安全だし、少しだけ利子もつく。

　でも、それだけでは１億円にならない。

　少なくとも生きている間は無理かも。

　１億円を手に入れるには、お金の一部を**リターンの高い投資**に回す必要があるんだ。

　では、どのくらいのお金を投資に回したらいいか？

　平均すると、年率５〜12％の間でお金が増えるのが望ましいと、家計の専門家は言っている。貯蓄口座だけでは、そんなリターンは不可能だ。

　貯蓄口座の１万円に年利が１％つく場合と、投資で５％のリターンがある場合、また別の投資で10％のリターンがある場合を比べてみよう。

　金利が年１％なら、毎年100円の利子しかもらえない。

　20年経っても、約2000円だ。元手と合わせてリターンは１万2000円だ。

　５％のリターンなら、２倍以上の**２万7185円**になる。

　10％ならどうだろう？

　なんとなんと７倍の**７万3870円**だ！

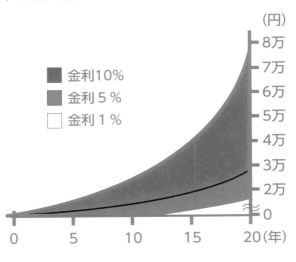

もちろん、物事はそれほど単純じゃない。

努力しないと、高いリターンは出せない。

しかも、貯蓄口座と違って投資には保証がない。

投資で価値が減ったら、すべてを失うリスクがある。

賢い投資家なら、全部ではなく、お金の一部だけ投資するんだ。

そもそも投資ってなんだ?

　投資とは、お金を増やしてくれる可能性のある何かに、お金をつぎ込むことだ。

　お金を投資できる対象は、びっくりするくらいたくさんある。

　ほぼ何にでも投資できる。なんでもだ!

　スケボーは好き?　ならスケボーをつくっている会社とか、スケボー用のシューズをつくっている会社とか、スケボー広場のコンクリートを製造する会社に投資してもいいだろう。

　なんなら、スピンに失敗した友達を運んでくれる救急車の燃料をつくる会社に投資することだってできる。

　何に投資するにしろ、将来価値が上がって、投資したお金も増えるようなものにお金を入れたいよね。

　スケボーをやる人がもっと増え、スケボーがもっと売れ、そのうちに投資したスケボー会社の価値が上がると、すごくいい。

ほぼ何にでも投資できる。なんでも選べる。
ただし、そのうちに価値の上がるものに投資しないといけない!

「億万長者マインドセット」のお手本、バフェットとは?

史上最も成功した投資家の一人として広く知られているのが、ウォーレン・バフェット(1930年生まれ)だ。

バフェットは世界の大金持ちの一人で、純資産は7兆円を超える。

バフェットは普通の人が見すごすような、ファンダメンタルズ(売上、利益、資産、負債などの財務状況)のいい企業に長期的に投資することで有名だ。

バフェットはネブラスカ州オマハにある、世界最大の投資持株会社バークシャー・ハサウェイの筆頭株主であり、同社の会長兼CEOとして、1958年に買った家に今も住んでいる。

まさに「億万長者マインドセット」のお手本!

投資のプロや一般投資家の間で、バフェットは「賢者」とか「オマハの賢人(The"Oracle of Omaha")」と呼ばれていて、誰よりも尊敬されているんだ。

スケボーと同じで、投資もまたリターンを求める代わりに、**リスクを取る**ということだ。

スケボーの新しい技をマスターしようと思えば、転んで舗道に顔をぶつけるリスクを負う。その見返りにスケボーが上手になる。

投資をする際にも、**お金にさよならを言うリスク**を負うことで、その見返りにお金を増やす可能性を手に入れる。

君にはそのリスクが負えるかな?

まずはそれなりの金額が貯金できてから、失うリスクを取れる金額だけを投資に回すほうがいい。

大学の学費に貯めておいたお金を投資しちゃいけない。

ゆっくり始めよう。

こう自問してほしい。

「どのくらいの金額なら失うリスクを負えるか?」

みんなこんなものに投資している!

　ほぼ何にでも投資はできる。

　リスクの高さはさまざまだけれど、みんなが投資しているものを、いくつかここにあげておこう。

譲渡性預金 (CD)

　CDは初心者にはもってこいだ。

　すでに口座のある銀行でも信用組合でも買える。リスクも低い。

　普通の貯蓄口座より少し金利は高いけれど、一定期間預けておかないと、大したリターンにはならない。

　期間は数週間、数か月、数年のものもある。

　金利があまり高くないので複利でも、お金がどんどん増えるわけではない。

　けれど、ムダづかいしないために、お金を閉じ込めておくにはいい。

　お金が貯まったら、別の投資に移してもいい。

株式

　上場株式の株式(株ともいう)を買うのは、商品・サービスを提供している**会社の部分的な所有者**になるということだ。

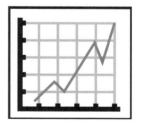

　ボロ株(高リスク)から優良株(低リスク)まで、何にでも投資できる。

債券

　金利つきで元本を返してもらう約束で、企業や政府にお金を貸すこともできる。それが**債券**だ。

　債券は格付機関によってリスクに応じた格付がなされている。

　一番リスクの低いのが「AAA」(トリプルA)で、一番リスクが高いのがNR(格付なし、または高リスク)だ。

不動産

住宅（君のおうちみたいな）や商業施設（ショッピングモールみたいな）に直接投資することもできる。

不動産投資信託（REIT：リート）を通して間接的に不動産に投資することもできる。

REITはいろいろな証券取引所で株式として売買されているんだ。

企業

企業のオーナーにお金を貸してもいいし、自分が企業のオーナーになってもいい。

リスクは大きいけれど、うまくいけばリターンも大きい。

コモディティ

コモディティとは、何かをつくる際に使われる原材料のことだ。

貴金属（金、銀、銅など）、コーヒー豆、材木、石油、豚肉もコモディティだ。

投資家が自分でコモディティを売買するというより、一定価格でコモディティを売買できる契約を買うほうが多い。

アートとアンティーク

芸術品の中には、うまくいけばどんな投資よりあっという間に値上がりするものもある。でも、投資にぴったりの作品じゃないといけないし、投資に向かないもののほうが多い。

貯めたお金のうち最初はほんの少しだけ、君が儲かると思ったものに投資するところから始めよう。

ここから君の「**ポートフォリオ**」が始まる。

ポートフォリオとは、異なる種類の投資（133〜134ページに書いてあるような）を組み合わせたものだ。

　賢く投資先を選んで、価値が上がるかどうかを見てみよう。

　もし上がったら、すごい！

　上がらなくても、**あたふたしちゃいけないよ**。

　なぜそうなったかを考えよう。

　適切なものに投資した？

　もしかしたら、上がるまでもう少し待ったほうがいいのかもしれない。

　特に最初は投資で失敗することもある。

　だからといって、**落ち込まなくていい**。

　経験豊富な投資家だって損をする。

　大切なのは、**損した金額よりもっと儲ける**ことだ。

　時間をかけてしっかり調査することで、得する可能性が上がる。

他の投資対象より
株のパフォーマンスがいい理由

　いろいろなものに投資できるけれど、株から始める人は多い。

　買うのも売るのも簡単だし、わかりやすいからね。

　それに、長い目で見ると、他の投資対象より株は**歴史的にパフォーマンスがいい**んだ。

　上場企業は、株式市場を通して、一般の人たちに所有権の一部、つまり株式を売って、資金を調達できる（未上場企業は一般の人に株式を販売できない）。

　株式を買うと、「株主」になる。

　つまり、その会社の**部分的な所有者**になるということだ。

　その会社は資金を調達して成長し、株主は**会社の一部を所有**する。

　鉄道から宇宙旅行、靴ひもからソフトウェアまで、株式を発行している上場企業はものすごくたくさんある。

　株式は毎日売ったり買ったりされている。

　価値が上がると思って、ある会社の株を買う人もいれば、同じ会社の株が下がると思って売る人もいる（またはお金が必要だから売る人もいる）。

株価は、その２つの相反する考えのせめぎ合いから形成される。

誰が正しいかはわからない。

そうやって無数の人が、毎日株を売ったり買ったりしているのが**株式市場**なんだ。

証券会社の選び方３つのポイント

株を買うのは、コンビニに行ってポテトチップを買うのとはわけが違う。

株を売買できるのは、特別な資格を持ったブローカー（証券会社・証券取引業者）だけなんだ。

君が株を売買する準備ができたら、証券会社に注文を出すと、証券会社がその取引を執行してくれる。

株取引にはお金がかかる。

証券会社から手数料を取られるけれど、大儲けできるならその価値はある。

手数料に差があるから、オンライン取引のウェブサイトやアプリも見てみるといい。

すごくたくさんあるから、きちんと調べて君に一番合った証券会社を選ぼう。

ブルマーケットとベアマーケット

株式市場の長期的なパフォーマンスを振り返ると、どうなっているだろう？

歴史を見ると、この25年またはもっと長い期間にわたる平均リターンは年率９〜10％ほどだ。

株価が上げ相場のときを「ブルマーケット」と呼び、下げ相場のときを「ベアマーケット」と呼ぶ。

ブルとベアは動物が天敵を攻撃する姿にちなんで名づけられている。

つまり、ブル（雄牛）は角を突き上げ、ベア（熊）は前足を振り下ろす。

ブル
（上げ相場）

ベア
（下げ相場）

証券会社と取引するには、まず**証券取引口座**を開かなくちゃならない。

でも、18歳以上でないと、自分の証券口座は持てないんだ(日本では、親権者の同意が必要などの条件で、未成年者でも口座開設ができる証券会社がある。その場合でも、一部の取引は制限されるなど会社によって扱いは異なる)。

ただし、後見人が君のために口座を開くことはできる(貯蓄口座と同じ)。「未成年口座」と呼ばれるものだ。

法律的には、君がこの口座のお金を所有することになるけれど、実際の取引は保護者または後見人が行う(日本では、本人が取引を行うことができる証券会社もある)。

証券会社は星の数ほどあるので、君に一番合った証券会社を探したほうがいい。次の**3つ**のことを心に留めておこう。

1　貯蓄口座と違って君のお金には保険がかかっていない。**信頼できる、きちんとした証券会社**を選ぼう(日本では1000万円まで金銭により補償される制度がある)。

2　株取引にはお金がかかるので、**手数料の安い証券会社**を選ぼう。
　　手数料が安ければ安いほど、君の手元に残るお金は多くなる。

3　端株(株式の売買単位に満たない端数で、端株原簿に記載されたもの。単位未満株)を取引できる証券会社を選ぼう。
　　取引単位より小さな金額でも、君が希望する金額を、多くても少なくても投資できる。**ひと株あたりの株価が高い場合には、少額から買える端株取引は便利**だよ。

「NYSE」「NASDAQ」「DOW」ってなんだ?

経済ニュースを聞いていると、略語がたくさん出てくるよね。
たとえば「NYSE」「NASDAQ」「DOW」。
それはみんな金融市場の話だから、アンテナを立てておこう。
株もその他のいろいろな投資商品も、取引所で取引される。
取引所で売買できるということは、その取引所に上場されているってことだ。

世界最大で最も参加者の多い**取引所**は次の２つ。

・**ニューヨーク証券取引所**
（普通は「NYSE」と頭文字で表されるけど、「NICE」じゃないよ）

・**全米証券業協会取引所**
（「NASDAQ」と表記されて、発音は「ナスダック」だ）

その他のよく聞く略語はどんな意味？
「S&P500」とか、「DOW」とかは？

どちらもインデックス、つまり**株価指数の名前**なんだ。

株式を仮に選び出してひとまとめにしたものを**インデックス**と呼び、その動きで市場全体が上がっているか下がっているか、だいたいわかる。

株価指数として有名なのは次の**２つ**。

・**S&P500**

S&Pは「スタンダード・アンド・プアーズ」の頭文字で、これは格付機関の名前なんだ。

株式の売り買いの推奨もするし、S&P500の指数も管理している。

指数の名前からわかるように、この指数には500銘柄入っていて、**株式市場の健全性を表す指数**として広く使われている。

・**DOW**

DOWといえば、たいてい「**ダウ工業平均株価**」を指す。

S&Pに似ているけれど、こちらは**30社の巨大企業**で構成されている。

この指数に入る企業は、**業界の一番手**で幅広い投資家が株を保有している。

こうした指数を観察し、**株式市場全体**がどうなっているかの感触をつかむといい。市場の全般的な状況を見ておくと、とても役に立つよ。

最初の株を選ぶコツ

株式に投資するとなると、何千銘柄ある中から選ぶことになる。

どうやって最初の銘柄を選んだらいい？

個別株に投資したいなら、自分の知っている会社から始めるのがいい。

好きな飲み物は何？　どんな靴を履いてる？　よく食べるスナックは？

そうした会社も株式を上場しているかもしれない。

その会社の**ティッカー(銘柄コード)**を見つけて、いくつか調査してみよう(**必ず調査をしてからでないと、株を買ってはいけないよ**)。

過去数か月、または数年間に値上がりした銘柄のトップ10を調べてみるといい。

何を調査すべきか？

各銘柄について調査すべきことはたくさんある。

経験豊富な投資家なら、株価収益率(PER)とか、直近1年の高値・安値とか、時価総額といった細かいことを知りたがるだろうけれど、ここでは基本的で大切なポイントだけあげておこう。

- ●利益性：その会社は利益をあげている？　もしまだなら、もうすぐ利益が出る？
- ●成長性：その会社は新しい市場を開拓したり、従業員を増やしたりしている？
- ●経営陣：主要な経営人材(えらい上司)は、その会社の目標を達成できるだけの経験があるか？
- ●優位性：ライバルと比べて独自の優位性や特殊性があるか？

最後に、過去の業績は未来の業績を保証するものではないことを覚えておこう。

> **アドバイス**
> 仮のお金を使ってできる株式投資ゲームはたくさんある。
> ゲームに挑戦して初心者の失敗を避けるにはどうしたらいいかを学んでから、本物のお金で株式市場に投資するといい。

不況を乗り越えた企業には、特に注意を払うといいよ。

長期にわたって**企業価値が上がる優良企業**を見つけるのが君の目標だ。
一番カッコいいものをつくっている会社を探すことじゃない。
偉大な会社が素晴らしい投資先とは限らない。
だから投資前の調査が役に立つんだ。

儲けるには「バリュー投資」がおすすめ

初めて株を買ってみた？
おめでとう！
時間は君の味方だ。
価値が上がることを願って、しばらく株を持ち続けてみよう。

個別株で儲けるカギは、**安く買って高く売る**こと。
10ドルで買って、1年後に2ドル値上がりしたら、20％の値上がり率になる。
もしそこで売るとしたら、20％の儲けになる。
持ち続けていれば、もしかしてまた値上がりして、翌年さらに2ドル上がるかもしれない。

株を売ると決めたら、株数に売却価格をかけ合わせた金額（から売買手数料を引いたもの）が、君の証券口座に入金される。
割安株を見つけ、みんながそれに気がつくまで持ち続けるのを「バリュー投資」という。
とても人気のある投資手法だ。かのバフェットもやっている。
企業の強みとリスクを調査し、今の株価が本当にふさわしいのかを判断する。
「優良だけどほとんど知られていない会社」に投資家が気づいていないことも多い。
バリュー投資家はそれを見て、株を買い、株価が上がるのをひたすら待つんだ。

なぜ株式を分割するのか？

たまに、**株式を分割**する会社がある。

なぜ株式を分割するのか？

目的は、**新しい投資家がより買いやすい株価にするため**だったり、**既存の投資家に報いるため**だったりする。

何分割するかは、さまざまなケースがある。

けれど、ひと株を**2つに分割**するケースが多い。

その場合、君が所有する**株式ひと株あたりの価格が半分になって、株数が倍**になる。もし、**株価が分割前の値段に戻ったら、君のお金も2倍**になるというわけだ。

うれしい配当の瞬間

株主に**配当**する企業もある。

配当とは、**企業が利益の一部を株主に返す**ことだ。

だいたいの場合、配当は3か月に一度行われる（日本では年1回か、2回がほとんど）。

株価の数%という結構な金額になることも多い（貯蓄口座の金利よりはるかに高い）。

配当はひと株ごとに支払われるので、持株数が多いほど、金額も大きくなる。

もう一つ、つけ加えておこう。

配当のある株式のほうが、長い目で見ると**値上がりする可能性が高い**という金融アナリストもいる。

だから、**配当してくれる会社**は、じっくり見る価値があるかもしれないね。

意外な発見！ おもしろ銘柄コードリスト

証券取引所に上場している会社には、みんな、ティッカー（銘柄コード）がある。
会社名から数文字取ってアルファベットをつなげる場合がほとんどだ。
でもたまに、オチのあるティッカーもある。

スタインウェイ・ミュージカル・インスツルメンツ(LVB)

ピアノメーカーのスタインウェイ・ミュージカル・インスツルメンツは、作曲家
でピアニストのベートーヴェン（ルードヴィヒ・ヴァン・ベートーヴェン）のイニシャ
ルをティッカーにしている。

オリンピック・スチール(ZEUS)

鉄鋼メーカーのオリンピック・スチールは、ギリシャ神話の全知全能の神「ゼウス」
にちなんだティッカーにした。

マーケット・ベクトル・アグリビジネス ETF(MOO)

「Moo」とは英語で牛がモーと鳴くことを意味する。牛の事業だろう。

ハーレーダビッドソン(HOG)

HOGとは「HARLEY OWNERS GROUP（ハーレー・オーナーズ・グループ）」の略。
ハーレーのオーナーだけが入会できるハーレーダビッドソンのオフィシャルグルー
プ。このオートバイメーカーは有名なニックネームをもじった名前にした。

アジア・タイガー・ファンド(GRR)

※(訳者注)現在このファンドは存在しない

「GRR」って何だろう？
　怒った虎（グアー）みたいな名前の投資ファンドだね。

ダイナミック・マテリアルズ(BOOM)

「boom」とはブーンと鳴る音、砲声、雷、波などのとどろきだ。
　なるほど……ダイナマイトと関係あるのかな？

ナショナル・ビバレッジ(FIZZ)

「fizz」とは炭酸飲料などのキャップを開けるときに出る「シューッ」という音。しゃ
れっ気があって覚えやすいティッカーだね。

すべての卵を一つのカゴに盛るな

「すべての卵を一つのカゴに盛るな」ということわざを聞いたことがあるかな?

1銘柄だけに投資しないほうがいい。

分散が大切だ。

いろいろな業界の異なる銘柄をたくさん持ったほうがいいし、株式以外の投資も混ぜたほうがいい。

どうして分散が大切なんだろう?

それは**リスクがバラける**からだ。

ひと銘柄の株価は日によって大きく変動する。

たくさんの株式を一緒にすれば、振れ幅がそれほど大きくなくなる。

もしそれでも大きく変動しているなら、市場全体も同じように変動しているということだ。

「ミューチュアル・ファンド」と
「インデックス・ファンド」を楽しもう

複数の銘柄に投資を一気に分散させるのにすごくいいのが、**ミューチュアル・ファンド**と**インデックス・ファンド**だ。

ミューチュアル・ファンドとは、たくさんの種類の資産を一つにまとめた商品だ。

株式だけのものもあれば、債券や不動産、コモディティ（原油、金・プラチナ、トウモロコシ等）などを混ぜたものもある。

インデックス・ファンドとは、指数全体のパフォーマンスに連動するような商品だ。

たとえば、**「SPY」は、S&P500のパフォーマンスに連動するインデックス・ファンド**なんだ。

どちらのファンドにも、幅広い銘柄を含むものもあれば、投資対象が限定されているものもある。

テクノロジーだけに絞ったファンド、社会的責任に絞ったファンド、高配当銘柄だけを集めたファンドもある。

投資家のために深く調査をするタイプのファンドもある。

その場合は、運用手数料という形で、運用者の専門性にかなりの料金を払うことになる。

ただし、過去5年間はすごく好調でも、次の年にいきなり不調になるファンドもある。

ただ幸運なだけのファンドもあるし、その風向きが一変するファンドもある。

あまり個別銘柄の調査をしないファンド、たとえばインデックス・ファンドは、投資委員会やアルゴリズムが自動的に株式や債券を組み入れる場合が多い。

人が頭脳を働かせて銘柄を選んでいるわけではないので、**インデックス・ファンドは手数料が安い**場合が多い。

ファンドに投資する前に、**目論見書(「プロスペクタス」という)をすみずみまで読んでおこう。**

初めてファンドを買う人には、運用手数料がすごく安かったり、手数料が無料だったりするファンドもあるので、よく見ておこう(その後、手数料が上がるかもしれないよ！　気をつけて)。

逆にすごく手数料が高くて、リターンがその分減ってしまうファンドもある。

ミューチュアル・ファンドやインデックス・ファンドの長所は、それを通してたくさんの**異なる銘柄を所有**できることだ。

つまり、**すぐに投資を分散**できるわけだ。

「待ち時」と「売り時」を知り、時間を味方につける

時間は君の味方だ。

買った株が下がっても、すぐに売る必要はない。上がっても同じだ。

きちんと調査して、しっかりした会社だと思えば、しばらく持って様子を見

てもいい。株は常に上がったり下がったりするものだ。

　株を売ったり、会社が倒産でもしなければ（たまにそういうことも起きる）、利益も損失も確定しない。

優良株なら、長期に持ち続けた投資家が最後に勝つ可能性が高い。

どんな情報源を調べたらいい？

- **株式投資サイト**
  メジャーな株式投資サイトには、おもな取引所に上場されているほとんどすべての銘柄のニュースやアナリストレポート、株価チャートが公開されている。インベストペディア、モトリーフール、Yahoo!ファイナンス、ザ・ストリート、MSNマネーといったサイトを見てみよう。

- **経済新聞**
  すべてを理解することはできなくても、『ウォール・ストリート・ジャーナル』や『バロンズ』といった経済紙は、投資のアイデアを探したり学んだりするのにうってつけだ。

- **企業の業績報告書**
  上場企業はもれなく四半期の終わりに業績を公開しなければならない。業績報告書（日本の四半期報告書）をしっかり読んでから投資しよう。

- **証券会社**
  証券取引口座を開いたら、公開株すべてについてものすごい量の情報が手に入るようになる。

- **友達と家族**
  周囲で投資している人がいたら、何になぜ投資しているかを聞いてみよう。

投資という名の冒険に出よう

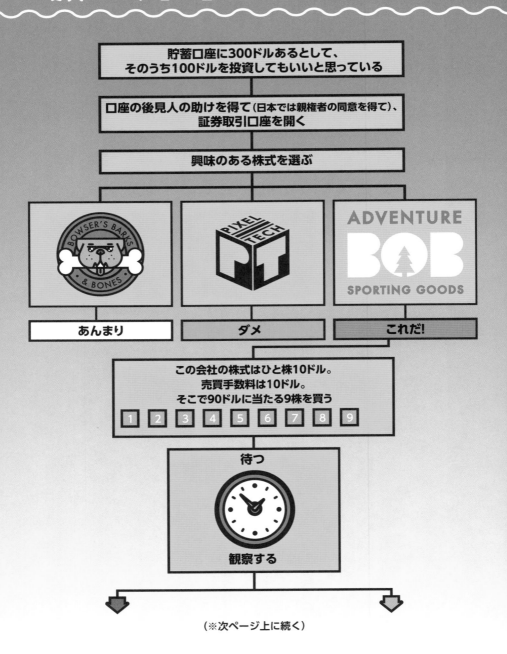

貯蓄口座に300ドルあるとして、
そのうち100ドルを投資してもいいと思っている

口座の後見人の助けを得て（日本では親権者の同意を得て）、
証券取引口座を開く

興味のある株式を選ぶ

あんまり

ダメ

これだ!

この会社の株式はひと株10ドル。
売買手数料は10ドル。
そこで90ドルに当たる9株を買う

1 2 3 4 5 6 7 8 9

待つ

観察する

（※次ページ上に続く）

株が上がったら、もっと上がることを
願って持ち続けるか、売って利益を確定する

株が下がったら、リバウンドを願って
持ち続けるか、
あきらめて売り、損失を確定する

勘が当たって、1年後に10%値上がりした。
90ドルの10%は9ドルだ。
今の価値は全部で99ドルになる

それからどうする？

売る

株を売ることにする。
でも、手数料が10ドルだってこ
とを忘れていた。
99ドルで売って手数料の10ドル
を引くと89ドルだ。
　　100ドルから始めて、
株価は上がったのに、**11ドルの損**になって
しまった

持ち続ける

もう1年、その株を持ち続けるこ
とにする。
業績は絶好調で、株価はさらに
10%上がった。
今の株価は108ドル90セントだ。
でも、落とし穴がある。10ドルの
手数料のせいで、ここで売って
もまだ利益は出ない。
あと数年持ち続けてもいいし、
売ってもっと利益の出そうな他
の株に乗り換えてもいい（とは
いえ、毎年10%の値上がりなら
大したものだ）

その会社は、たまたまその年、業
績不振で、20%値下がりした。
ああ、イヤだ！
今の価値は72ドルになってしま
った。
どうしたらいい？

$ELL
- YOUR STOCK -

売る

売ることに決める。
　　10ドルの手数料を引くと、残ったのは
62ドルだ。
投資額の30%も失ってしまったが、もっと利益の出
る他の銘柄に投資してみることはできる。
どうかうまくいきますように！

持ち続ける

ここで我慢して、元の株価に戻ることを願って待つ
ことにする。
実はその後、**20年間持ち続けた**。
上がったり、下がったりしたけれど、元の価値を取り
戻したうえに、**さらに値上がりした**

ひと息つこう

　自分の投資がどうなっているか、いつも細かく注意しておくのは大切だけれど、あまり気にしすぎてもいけない。

　毎日株価をチェックしている人もいる。

　少しでも株価が下がるとビビってしまって、愚かな判断に走る人もいる。

　投資期間をどのくらい長く計画しているかによって、毎日、毎週、または毎月チェックしてもいい。

　50年後までは手をつけない退職年金口座なら、3か月に一度でもいい（もちろん、すでに1億円を貯めて15歳で引退するなら別だけど）。

　ニュースと市場はいつもチェックして、**チャンスとリスクを見つけ、正しいことをしているなら安心して、未来のために投資**しよう。

フェイスブック──いいね？　それともよくないね？

　フェイスブックは、2012年5月18日に新規株式公開した（未上場会社が上場して株が取引所で売買され始めることを「IPO」という）。

　このIPOは、テクノロジー業界でも最大級で、当時はインターネット史上最大規模だった。

　取引初日にひと株38ドルをつけたものの、その後数か月で17ドル55セントまで下がった。

　しかし、2015年末までに株価はグングン上がり、100ドルにも達した。

　もし、フェイスブックを正しいタイミングで買っていたら、すなわちみんなが「よくないね」と思っていたときに「いいね！」を押していたら、1億円に近づいていたはずだ。

　今のフェイスブックの株価を見てみよう。

　スマホでチェックできる。

　さあ、待っているからやってみて。この瞬間も上がっているかな？　下がっているかな？

「キャピタルゲイン税」も忘れずに

　キャピタルゲイン税とは、株式売却益にかかる税金だ。

　買った株を**1年もせずに売った場合**、1年以上保有していた場合と比べ売却益に**高い税金**がかかる。

　株を売る前に、税金がどうなっているかをあらかじめ調べておこう。

　アメリカの場合は、州によって税率が違う（日本の場合は全国一律20.315%。保有期間の長短も関係ない）ので、証券会社または税理士と話してほしい。その年にあまり収入がないなら、あまり関係ないだろう。

失敗しても、
いくらでも挽回する時間はある!

　投資の世界は、この章で話したことよりずっと深い。

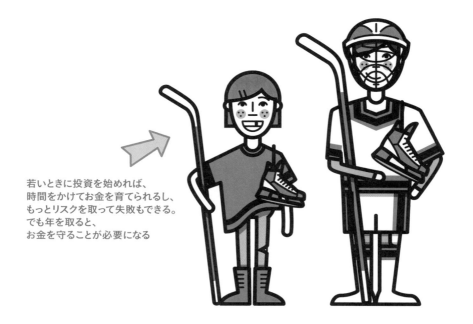

若いときに投資を始めれば、
時間をかけてお金を育てられるし、
もっとリスクを取って失敗もできる。
でも年を取ると、
お金を守ることが必要になる

ずっとずっと深いんだ。

でも、君が第一歩を踏み出すための、何らかの刺激になれれば、とてもうれしい。

投資は**1億円を達成するのに最良の方法の一つ**だと思うから。

ここでの大きな教訓は何だろう？

これは**君のお金**で、**君の投資**で、**君の責任**だということだ。

じっくり調査して、入れ込みすぎず、常に**合理的な判断**をしよう。

いずれも成功には不可欠だ。

最高なのは、君がまだ若くて、**失敗してもいくらでも挽回する時間がある**ということだ（大人も人生100年時代だから大丈夫！）。

時間は君の味方だ。

さっそく投資を始めよう。

この章のまとめ

1 どんな投資にも**リスク**がある

2 **自分で調査**する

3 **損をしてもかまわない金額だけ**投資する

4 リスクを**分散**する

第10章

億万長者に
ならない方法

さて、ここまで読んだ君は、
「なんていい本なんだ！
　億万長者になる方法がたくさん詰まってる！
　この本のアドバイスに従っていれば、めちゃめちゃお金が貯まって好きなものがなんでも買える！　うまくいくこと間違いなし！」
　と思ったかもしれない。

　だが、そんなに簡単じゃない。
　目標金額に到達する道もたくさんあるけれど、結局一文なしになる場合だってもっとたくさんある。
　すっからかんになって、１億円なんて夢に終わる人たちがよくやりがちなことを、ここに書いておくね。

１億円が夢に終わる人の５つの共通点

1　入ってくるよりもたくさんのお金を使ってしまう

　当たり前に思えるかもしれないけれど、大金が貯まらない一番の理由は、これなんだ。
　すごくたくさんお金を稼いでいる人でも、同じだよ。
　毎月500万円稼ぐ天才外科医でも600万円使っていたら、20万円稼いでその３分の１をきちんと貯金している人にはかなわない。

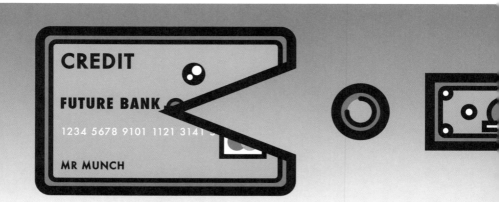

【治療法】

予算を立てるといい（第3章をもう一度読んで思い出そう）。

どれほどお金を稼いでも、**いくら使っているかを把握**していないと、すっからかんになってしまう。

2 借金を繰り返す

緊急事態やたまに大きな買い物をするときはお金を借りてもいいけれど、クレジットカードを使いすぎると、お金があっという間になくなってしまう。

クレジットカードに頼って分割払いにしていると、毎月高額な金利の支払いに追われることになるし、借金が残っていれば、お金が君のポケットではなく直接銀行に行くことになる。

【治療法】

できる限り、買い物には**現金かデビットカード**を使おう。

現金がない場合には、現金が貯まってから買い物をしよう。

3 計画性がない

資金計画がないと、自分たちがお金の面でどこに向かっているのかがわからない。

資金目標がなければ、将来の目標を見失い、せっかく稼いだお金をくだらないことに使ってしまう。

クレジットカードで借金を重ねていたら、億万長者の夢は泡と消えてしまう

【治療法】

短期、中期、長期の資金目標を立てる。

頻繁にその計画を見直し、今の目標に合うようにする。

4 ギャンブルに手を出す

ギャンブルに手を出せば、ほとんどの人は負ける。

そうでなければ、カジノはみんな倒産しているはずだし、自治体も宝くじで潤ったりはしないはずだ。

「最後は必ず胴元(元締め)が勝つ」

これを胸に留めてほしい。

【治療法】

とにかくやるな。

ギャンブルで儲けて億万長者になった人なんていない。

それに宝くじに当たったり、ギャンブルで大当たりした人のほとんどは、結局すっからかんになっている。億万長者になるのに、近道はない。

5 ウソの儲け話や詐欺に引っかかってしまう

残念ながら、あの手この手で他人をダマそうとする人は多い。気をつけよう。

【治療法】

どんな詐欺があるかを知って、引っかからないようにしよう。

ここに、お金をくすねようとする人たちの常套手段を書いておこう。

・ネズミ講

会員になってくれる人を紹介してお金をもらう「ビジネスモデル」を**ネズミ講**という。初期に入った人は儲かるけど、他の人たちはほとんど儲からない。

・投資詐欺(ポンジ・スキーム)

ネズミ講に似てるけれど、出資させて、投資の利益でなく、他の人の「出資」したお金を戻すのが、投資詐欺(ポンジ・スキーム)だ。

詐欺の元締めだけが、実際にお金を儲けられる仕組みになっている。

・フィッシング

　口座情報やクレジットカード番号やデビットカードのPIN番号を確認した
い、または手数料を支払いたいという名目のメールを受け取ったことがあるか
もしれない。

　本物の会社は、そんな情報を絶対にメールでたずねたりしないよ。

・なりすまし

　個人情報を盗んで、君になりすまし、君のお金を使おうとする人たちもいる。
どうやってそんなことができるんだろう？

　君の誕生日、パスワード、社会保障番号（日本ではマイナンバー）といった、
ちょっとした情報さえあれば、君の口座に侵入できるんだ（恐いよね）。

　デビットカードのPIN番号を漏らさず、個人情報が載った郵便物は破いて、
郵便受けに郵便を入れたままにせず、個人情報をしっかり守ろう。

・奨学金詐欺

　この手の詐欺は、応募前にお金を振り込むよう要求したり、「秘密の」奨学
金を教えると言ってきたり、クレジットカード番号を知ろうとしたりする。

　奨学金情報はタダで一般公開されているし、本物の奨学金なら絶対にお金を
要求したりしない。

緊急事態が起きたら

　自分の手では解決できないことが起きてしまったらどうする？
　準備万端であっても、運の悪いことは起きるものだ。
　保険がきかない病気にかかってしまうかもしれない。
　人生にはすごく大変なこともある。
　そんなとき、どうする？

　悪いことは誰にでも起きうると覚悟して、備えよう。
　だからこそ、いざというときの「**緊急資金**」を別に取り置くことを、専門家
はすすめているんだ（少なくとも**３〜６か月分の収入**）。
　君を経済的に守ってくれるもう一つの方法が保険だ。

特に、自動車・医療・生命保険といったものだ。
事業主の場合には損害保険が君を守ってくれる。

ディズニーもハリー・ポッターも
辛抱強く続けたから

億万長者になりたいなら、持っているお金をなくさないに越したことはない。
でも、いろいろうまくいかなくて、貯金が底をついたとしても、人生はもう
終わりだと思っちゃいけないよ。

不運にもお金で失敗した後に、立ち上がって成功した有名な人たちの例をあ
げておくね。

ウォルト・ディズニー（1901〜1966）は、配給会社にお金を持ち逃げされ、
最初の映画会社を失ってしまった。
5年間、缶詰ばかりの生活の後で、やっと有り金をかき集めてカリフォルニ
アへの片道切符を買った。
そこでネズミのアニメをつく
った。
みんなも知っているよね。
その後はトントン拍子に成功
した。

『ハリー・ポッター』を書いた
J・K・ローリングは、売れっ
子作家になる前はかなりの貧乏
生活を送っていた。
でも、『ハリー・ポッター』
シリーズが史上最大のヒット作
になり、彼女は億万長者になっ
た。ローリングは、今ではイギ
リスで最もお金持ちの女性の一

タヌキにダマされない
ように気をつけよう

人だ。

　ディズニーも、ローリングも、人生の中でお先真っ暗な時期があった。
　それでもあきらめず、運を好転させることができた。
　もし君に不運が訪れたとしても、気持ちを立て直して、また人生に挑み直そ
う。
　だって１億円が向こうから歩いてくるはずはないんだから。

この章のまとめ

1　入ってきたお金以上に使うな

2　借金を重ねるな

3　計画と目標を設定しよう

4　ギャンブルに手を出すな

5　詐欺に引っかかるな

あとは行動あるのみ

お金は長く寝かせるほど大きく育つ

この本もそろそろ終わりに近づいた。

ここまで読んだことを、1億円を貯めるきっかけに使ってもらえたらうれしい。

若い頃から始めていると、ものすごく有利だ。

この本で身につけた「**億万長者マインドセット**」(**MDM**)を使ってほしい。

1億円の現金をすべて貯金しなくても、十分な元手を複利で運用すれば、1億円の目標に手が届くことを忘れないで。

では、十分な元手ってどのくらい?

それは君がどれだけ早く貯金を始めるか、いくら貯めるか、投資の生涯リターンがどのくらいか、そして君がどれくらい我慢強いかにかかっている。

10年で目標に届く人もいる。

まだ途中の人もいる。

どちらにしろ、時は金なり。

たいていは、**投資も貯金も長く寝かせるほど、大きく育つ。**

過度にこだわりすぎずに投資を見守って、たまに計画と目標と予算を調整しながら、**長い目で投資のリターンが少しずつ上がる**ように努力しよう。

ほんの少しずつでもお金を注ぎ足していけば、そのうち1000万円を突破し、2500万円、5000万円、8000万円、そして9999万円を超えるだろう。

1億円に到達したら、お祝いしよう。

君の努力のたまものだ!

いつ始めても、遅すぎることはない

みんなが若いうちからお金を貯め始められるわけじゃない。

　１億円にたどり着くにはいろいろな道がある。

　お金を貯め始めたのが30歳になってからだったとしよう。

　でもそれから、毎月２万5000円を15年間貯め続けた。

　７％のリターンを複利で増やすと、45歳になる頃には800万円ほど貯まっているはずだ。

　それから貯金額を毎月３万円に引き上げると、75歳になる頃には１億円に到達する。

　ただし、そこに到達するには平均７％を少し超えるリターンが必要になる。

　もっと積極的に投資したほうがいい。

　この話の教訓は？

　今すぐ始めようってことだ！

困ったときはプロに相談しよう

　最終的な目標に到達する方法はたくさんある。

　君に合った、収入と貯蓄と投資のいいバランスを見つけることが大切だ。

　でも、自力で見つけなくてもいい。

　ファイナンシャル・アドバイザーや会計士に相談して、お金の管理を助けてもらう人は多い。

必要なときに専門家の助けを借りることも大切だ

学校でも金融リテラシーの授業を受けられるし、株などに投資するクラブに入ってもいい。

　無料で助言してくれる会社も人もいる。

　オンラインで調べたら、その情報の多さに驚くだろう。

　それでも、一番いいアドバイス（一番悪いアドバイスかもしれないから気をつけて！）をくれるのは**家族**だと思う。

　もちろん、お金や家計について子どもと話さない家庭もある。

　自由に話す家庭もある。

　お金について家族で話すのは、とてもいいことだと思う。

　家計について家族のみんなが考える機会になるからね。

　君が**複利**について教えてあげてもいいし、**株式分割の多い銘柄**に目を向けるように伝えてもいい。

学べば学ぶほどお金は増える!

　お金と金融の世界には、まだまだおもしろいことがたくさんある。

　学べば学ぶほど、お金を増やせる可能性は高まる。

　計画、目標、集中力、忍耐力、時間、打たれ強さ、粘り強さ、頭の回転の速さ、それから少しの幸運があれば、少なくとも1億円は手に入るはずだ。

　自分を安売りしてはダメだよ。

1億万長者は、どうやってお金を手に入れているのか

　起業家・ベストセラー著者・人材開発研修者のブライアン・トレーシーによると、自力で億万長者になった人の99％は、次の4つの方法でお金を手に入れたという。

・74％は起業家
・10％は大企業で出世した経営者
・10％は医師、弁護士、会計士といったプロフェッショナルの中でもすごく稼ぐ人
・5％は営業マンか営業コンサルタントで、すごく営業が得意な人

人生100年時代にこそ必要な
「億万長者マインドセット」

ここで、子どもっぽい考え方を少しやめ、しわしわのお年寄りになったときにどんな人生を歩んでいるか想像してほしい。

●引退

あ〜ラクな生活。ゴルフ、チェックの靴下、入れ歯、昼寝し放題みたいな？

残念ながら、大半のアメリカ人は引退後も働き続けないといけない。

全体の36％は引退に備えた貯金がないんだ。

そのほとんどが年金（勤労者が支払う政府基金で、引退年齢に達したら受け取れる）に頼っている。

年金だけで生きていけるかどうかはともかく、そんなふうに人生の黄金期をすごすのはあんまり楽しくなさそうだ。

50歳のアメリカ人の平均貯蓄額は**4万3797ドル（約438万円）**。

それだけじゃすぐに息切れするよね。

しかも、みんな長生きするようになって（引退してから死ぬまでに30年以上生きる人もいる）、人工関節を買うお金もたくさん必要になるわけだ。

ゴルフボールを買うお金さえないお年寄りになってはいけないよ。

「億万長者マインドセット」 を身につけ、今すぐお金を貯め始めよう。

若いうちに、一所懸命努力すれば、
それだけ早くごほうびを楽しめる！

1億円貯めた？ すごい！
でも、見せびらかしちゃダメだよ

　お金を見せびらかしたり、高級車に乗ったり、ブランド靴を履いたり、ぜいたく品を周囲に見せつけたり……。

　そんなことをしても、君は愚かに見えるだけだ。

　盗人を呼び込むことにもなりかねない。

　お金や持ち物を盗まれた億万長者はたくさんいる。

　どうして、わざわざ自分から危険を招くようなことをする？

　本当のお金持ちなら、**目立たないように気をつけて、静かに素晴らしい人生**を送る。

お金を貯め、使い、分け与える！
富を分配する3人の億万長者

　自分たちが心から気にかけている慈善事業や社会貢献にお金を寄付しているお金持ちは多い。

　誰かを助けるためにお金を使うのは、最高の気分だ。

　億万長者の慈善事業家はみんなそう思っているはずだ。

●ビル・ゲイツ（1955年生まれ）

　慈善活動にお金を投じているお金持ち（超超お金持ち）といえば、この人の名前が真っ先に思い浮かぶ。

　マイクロソフトの創業者であるビル・ゲイツは、この地球上で最もお金持ちの一人だ。

　ビルと妻のメリンダ（今年離婚を発表したけど）は、335億ドルを投じてビル・アンド・メリンダ・ゲイツ財団を創立（2000年）。世界最大の慈善基金団体（非営利団体）として世界の貧困・病気・不公平問題に対処している。

　また、ビル・ゲイツは「寄付の誓い（ギビング・プレッジ）」を行い、財産の大半を社会貢献に使うことを誓っている。

● **マーク・ザッカーバーグ**（1984年生まれ）

　フェイスブックのCEOであるマーク・ザッカーバーグは、23歳にして世界で最も若い億万長者の一人となり、慈善事業に大金を寄付し始めた。

　ニュージャージーの学校制度を立て直すために1億ドルを投じ、ベイエリアの学校には1億2000万ドルを投じた。

　これは、シリコンバレー・コミュニティ財団に寄付した、10億ドル相当のフェイスブック株式による寄付の一部に当たる。

● **オプラ・ウィンフリー**（1954年生まれ）

　オプラ・ウィンフリーは、さまざまな慈善事業や組織に大金を寄付している。

　寄付の大半は彼女自身が設立した3つの財団を通じて社会貢献活動に使われている。

　南アフリカの女性たちのリーダーシップ教育（オプラが設立）を支援したり、メキシコ湾岸の再建に努力したり、孤児を助ける活動や途上国で学校をつくる活動にも寄付したりしている。

　彼女のトークショーの観客全員に1000ドルをあげ、それぞれが選んだ社会貢献に寄付してもらったこともある。これこそ慈善活動だね！

君が1万円を1億円に育てる姿を応援してるよ

　貧乏でも幸せに暮らせるし、お金持ちでも不幸な人はいる。

　でも、経済的に自立している人は、借金まみれの人や毎月の生活費の支払いに四苦八苦している人に比べ、**心配が少ない**ことは確かだ。

　この本の目的は、居心地のいい生活を送るだけのお金を手に入れることだけれど、1億円に到達する方法を学びながら、その旅を**楽しみ、おもしろがってもらえる**ことを願っている。

　それから、君が学んだことを**人に分け与えてもらえる**と、もっとありがたい。

　君が経済的に自立することで、地域社会を助けたり、誰かを貧困から救ったり、多くの子どもに経済的な安心を与えられるようになるかもしれない。

　もしかしたら、君がすごく成功して、お金を稼いで貯めて投資して、『**1万円を10億円にする「お金の教科書」**』という本を書くかもしれない！

考えてもみてほしい。

すべてのはじまりは、**1万円を貯める目標**だったよね。

君の未来がどうなるにせよ、経済的に成功し、幸せになることを願っているよ。

今すぐに立ち上がって、挑戦しよう。

君が1万円を1億円に育てる姿を、僕たちは心から応援しているからね。

幸運を祈る！

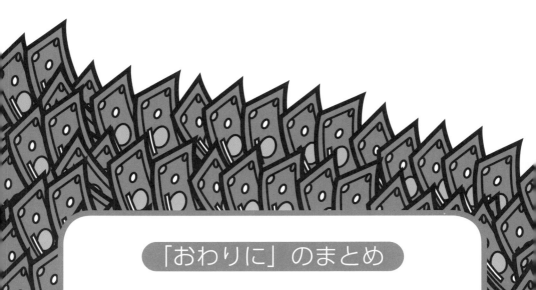

「おわりに」のまとめ

この本はそもそも長い話を短くまとめたものだ。

もし最後まで読めなかったら、ここで僕たちに助けられることはない

1億円への道 チェックリスト

さあ始めよう。
1億円の目標に向かって、まずはどんなに小さくても第一歩を踏み出すんだ。
旅の間に次の項目をチェックして、目標に近づいているかどうか確かめよう。

- ☐ 「億万長者マインドセット」(MDM)を身につける
- ☐ 銀行か信用組合に貯蓄口座を開く
- ☐ お金の目標を決め、予算を立ててそれを守る
- ☐ 仕事に就くか起業して、収入を増やす
- ☐ 1万円貯めて、定期的にお金を貯め、貯金を習慣にする
- ☐ 数万円貯まった？　お金の一部を貯蓄口座から他の投資に回し、リターンを増やそう
- ☐ お金の一部を緊急資金に振り分けておく。少なくとも3〜6か月分の収入と同じ額を備えよう
- ☐ お金が増えても、みんながやるようなバカなことはせず、お金をなくさないようにしよう

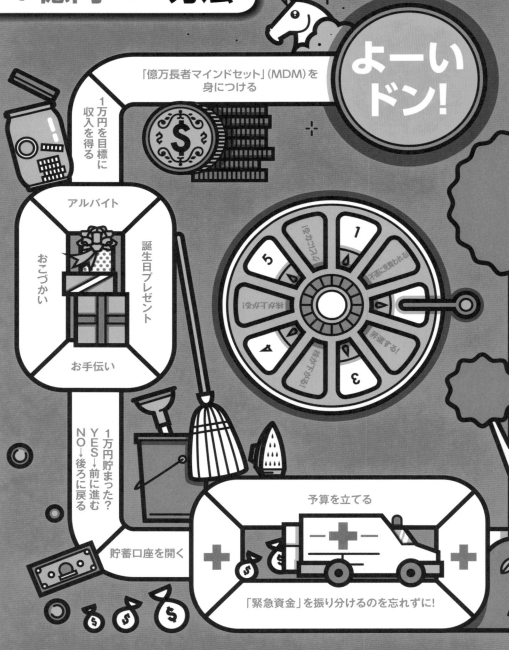

億万長者になるプランを2ページにまとめよう

名前：_____
年齢：_____ 歳
目標：　　　　**1億円！**
_____
_____

誓いの言葉

今の年齢に、億万長者になるために必要な年数を足してみよう。
鏡に向かって、次の誓いを唱えてほしい

私、_____は_____歳になるまでに

億万長者になることを誓います。

(年数は現実的に。十分な時間をかけ、途中で調整していこう)

貯蓄目標を立てる

短期、中期、長期の目標を並べよう
(長期目標は1億円かそれ以上にしてね)

短期目標 (今から1年以内)：
_____
中期目標 (1年から10年以内)：
_____ 円
長期目標 (10年より先)：
_____ 円
_____ 円

収入を増やす

目標達成を目指して、お金を手に入れる手段をすべて書き出そう！

おこづかい：＿＿＿＿＿＿＿＿＿＿＿＿＿＿＿＿＿＿＿＿＿＿＿ 円

仕事：＿＿＿＿＿＿＿＿＿＿＿＿＿＿＿＿＿＿＿＿＿＿＿＿＿＿＿ 円

アルバイト：＿＿＿＿＿＿＿＿＿＿＿＿＿＿＿＿＿＿＿＿＿＿＿ 円

起業：＿＿＿＿＿＿＿＿＿＿＿＿＿＿＿＿＿＿＿＿＿＿＿＿＿＿＿ 円

投資リターン：＿＿＿＿＿＿＿＿＿＿＿＿＿＿＿＿＿＿＿＿＿＿ 円

贈与・遺産：＿＿＿＿＿＿＿＿＿＿＿＿＿＿＿＿＿＿＿＿＿＿＿ 円

予算を守る

予算を立てて、目標金額を
達成する助けにしよう
（貯蓄口座を開くのを忘れずに！）

ひと月の収入：＿＿＿＿＿＿ 円
ひと月の支出：＿＿＿＿＿＿ 円
貯金（まず自分に送金）：＿＿＿＿ 円
交通費：＿＿＿＿＿＿＿＿ 円
電話代：＿＿＿＿＿＿＿＿ 円
メディア・ダウンロード：＿＿ 円
学用品：＿＿＿＿＿＿＿＿ 円
食べ物：＿＿＿＿＿＿＿＿ 円
洋服：＿＿＿＿＿＿＿＿＿ 円
遊び：＿＿＿＿＿＿＿＿＿ 円
その他：＿＿＿＿＿＿＿＿ 円
総額：＿＿＿＿＿＿＿＿＿ 円

支出総額が収入を上回れば
予算オーバー。
書き直そう！

振り返って修正する

目標への進捗をチェックしよう。
年に一度でも、毎月でも、毎週でもいい。
うまくいってるかな？
何か修正が必要かな？

＿＿＿＿＿＿＿＿＿＿＿＿＿＿＿＿＿

誰かに助けてもらえる？　メンターかな？
それとも自分でできる？

＿＿＿＿＿＿＿＿＿＿＿＿＿＿＿＿＿

メンターや指導者から、どのくらい頻繁
にアドバイスをもらえるだろう？

＿＿＿＿＿＿＿＿＿＿＿＿＿＿＿＿＿

事業計画を1ページにまとめよう

《事業名》

《ビッグアイデア》

《マーケティングの4P》

プロダクト: 何を売るか？ 誰が買うか？

プライス: その商品またはサービスをいくらで売るか？

プレイス: その商品またはサービスがどこで買えるか？

プロモーション: どう宣伝するか？

《利益を出す》

1か月でどのくらいの利益が出るか計算しよう！

総収入:

総支出:

利益(収入から支出を引く)**:**

利益は出る？
素晴らしい！
はじまりは上々だ。
もし利益が出ないようなら、
元に戻って収入を増やし、支出を減らそう。
次はどうする？
君の計画を、家族や友達など
株主になりそうな人に配ろう！

**店舗や企業の
ロゴをつくろう！**

173

一人ひとりの予算達成表

はじめの助けになるよう、ここに簡単な予算達成表を載せておく。
これを 4 回コピーすれば、1 か月の予算が立つ。
入ってきた収入と出ていった支出を毎日書き記そう！

月曜

収入

項目	総額

総計:

支出

項目	総額

総計:

水曜

収入

項目	総額

総計:

支出

項目	総額

総計:

火曜

収入

項目	総額

総計:

支出

項目	総額

総計:

木曜

収入

項目	総額

総計:

支出

項目	総額

総計:

金曜

収入

項目	総額

総計:

支出

項目	総額

総計:

土曜

収入

項目	総額

総計:

支出

項目	総額

総計:

日曜

収入

項目	総額

総計:

支出

項目	総額

総計:

用語集

収支表 君のお金の収支を書いた報告書

銀行 個人や企業のためにお金を保管したり、外国のお金に交換したり、お金を貸したり、その他の金融サービスを提供する場所

粘り強さ 意味はわかっていると思うけれど、大切なのでもう一度言っておくね。粘り強くがんばろう!

債券 政府や企業が発行する債務の証券。金利が決まっていて、決められた日に債務を返す約束がある

債務者 お金を返さなければならないことを承知で、一定期間お金を借りる人

証券仲介者(ブローカー) 顧客のために、取引所で株式等を取引する資格のある人や会社

証券取引口座 銀行口座と同じように、証券会社に開く口座。株式取引などを行う

予算 一定期間内に時間とお金などのリソースをどう分配するか、またはどう使うかについての具体的な計画

強気(ブル)相場・弱気(ベア)相場 強気(ブル)相場とは、株価が一定期間上がり続けている市場の状態を指す。弱気(ベア)相場とは、株式が全般に一定期間下がり基調にある状態を指す

事業計画 将来の戦略と事業の財務面の進展を表す計画で、通常は数年間にわたってこの計画を立てる

安く買って高く売る(バイロー・セルハイ) 株を売り買いする場合、安いときに買って、高くなってから売るのが一番いい。そうすれば利益が増える(言うは易く行うは難し)

キャリア 長期または一生続けると思われる仕事や職業

譲渡性預金(Certificate of Deposit:CD)
貯蓄口座と同じように預金保険の対象となり、リスクは実質的にはないが、一定期間は解約できない仕組みになっている預金

手数料 サービス提供の報酬として、仲介者に支払う金額。通常は取引額の一定割合を支払う

複利 預入期間または借入期間にわたって、元本と累計利子額に対して支払

われる金利

信用組合　組合員に対して、有利な金利の金融サービスを提供する金融協同組織

クラウドファンディング　公共のサービスやプロジェクト、ものづくり、投資、社会貢献、経験などを提供するために、多数の人から（通常）インターネットで資金を募る手法

未成年口座　未成年の子どものために親などが管理する口座

債務　誰かに金銭を払ったり、モノやサービスを渡したりしなければならない義務

給与振込　給料を現金でなく銀行振込で支給すること

分散　投資を多様化してリスクを減らすこと。「すべての卵を一つのカゴに盛るな」ということわざが一番的を射た説明

配当　会社の利益を、現金または株式の形で株主に分配すること

不況　企業活動が減少し、経済が停滞し、景気が悪いこと

緊急資金　予想外の支出に備えて貯めておくお金。たとえば、携帯電話をトイレに落としてしまったときにかかる費用などに備える資金

取引所　コモディティ（原油、貴金属、トウモロコシ等）、証券、その他の資産が取引される場所

支出　何かを買ったり、活動したりするために使うお金

経済的自由　必死に働かなくても、快適に生きていけるだけのお金を持っている状態。それがどのくらいの金額かは人による。1億円以上必要な人もいれば、それほどなくてもいい人もいる

詐欺　故意にウソをついて、他人のお金やその他のものをダマし取る行為

1930年代の大恐慌　アメリカ史上最も深刻で長期間にわたった不況。そのきっかけは1929年の株式市場の大暴落だった

2008年の金融恐慌　2007年12月に始まった不況。アメリカで840万人が失業した

収入　労働や事業活動・サービスや投資などの対価として受け取るお金

株価指数（インデックス）　ニューヨーク証券取引所またはナスダック市場等で取引される株式の中から選ばれた銘柄を集めた株式グループの平均価格

インデックス・ファンド　株価指数などに連動した運用を目指すように組み立てられたミューチュアル・ファンド

遺産　誰かが亡くなったときに譲渡されるお金やモノ

金利　借り手が貸し手に払う少額の料金

インターン　現場での研修制度

投資　お金を増やす目的で事業やプロジェクトや資産にお金をつぎ込むこと

IPO（新規株式公開）　企業の株式を一般の人たちに向けて取引所で初めて売り出すこと

個人退職勘定（IRA）　IRAとは「Individual Retirement Account」の略。アメリカで最も一般的な退職後資金積立制度で、税制優遇が受けられる任意の個人年金。一定額の掛け金に対し税金がかからない個人退職口座で、株式、債券、譲渡性預金（CD）などの投資が含まれる。一定の年齢に達するまでお金を引き出せない仕組みになっている

内国歳入庁（IRS）　IRSは「Internal Revenue Service」の略。アメリカの税金を集める責任のある政府機関。間違っても逆らわないように

採用面接　応募者が質問を受けるミーティング。雇い主が深く応募者について知る機会

債権者　お金を返してもらう前提でお金を貸す人や企業

上場（企業）　取引所で誰でも株を売り買いできる企業。あるいはその状態

ローン　誰かからお金を借りること。通常、借り手が貸し手に金利をつけてお金を返す

長期目標　少なくとも10年を超える計画

時価総額　上場企業の株価に発行済株式数をかけ合わせた金額

マーケティング　商品やサービスの価値をお客さんに伝えるプロセスや活動

中期目標　10年以内に達成したい計画

モーグル　といっても、雪のコブのことじゃない。特定の業界の大物や権力者のこと

ミューチュアル・ファンド　多数の投資家から集めたお金で購入し運用される投資信託。貯蓄口座と違って預金保険の対象にならない。通常はファンドマネジャーが運用するので、投資前に手数料と過去のパフォーマンスを調べておこう

まず自分に送金する（PYF）　「PYF」とは「Pay Yourself First」の略。読んで字のごとし。請求書の支払いをしたり、使ったり、誰かにあげたりする前に、まず自分の貯蓄口座に送金しよう

株価収益率（PER）　株価をその会社のひと株利益で割った指標

ポンジ・スキーム　チャールズ・ポンジ(1882〜1949)の名にちなんだ投資詐欺の一種で、先に出資した人たちに、「投資利益」と称して後から出資した人たちのお金を配ること。ポンジはビジネスマンで、1920年代はじめに詐欺師として名を知られるようになった

ポートフォリオ　株式、債券、不動産、その他の投資の組合せ

元本　投資や貯蓄のもとになるお金

商品/プロダクト　完成品として売られているもの

利益　収入から支出を引いて残ったもの

利益ポテンシャル　将来の利益の可能性(青天井より、もう少し具体的)

目論見書　投資前に配布される会社や投資信託等についての全情報が載った文書

投資収益率(投資リターン)　一定期間に投資で得た収益を、元の投資額に対する割合で表したもの

格付機関　企業の債券の信用格付を発行する組織

レコード　ビニール製のアナログ音声記録盤で、たまに割れたり、同じ部分が何度も繰り返されたりする

レファレンス　誰かの人柄や資格を教えてくれる知人や同僚

履歴書　仕事の経験や学歴を1ページ程度にまとめた文書

引退　この本に書いてあることをすべてやって億万長者になって、生活のために働く必要がなくなった状態

リスクとリターン　何かがうまくいかない可能性(リスク)と、とてもうまくいく可能性(リターン)を天びんにかけること

72の法則　特定の金利において、投資額が2倍になるのにかかる年数を測る簡単な方法

貯蓄口座　預金に対して利子がつく銀行口座

サービス　お客さんに恩恵をもたらすような一連の行動

株(シェア)　何かの所有権の一部。たとえば、株式市場で購入する会社の「株」。ひと株所有することもできるし、100万株所有することもできる

短期目標　目先の行動計画

社会保障　障害年金、遺族年金などを提供する政府による社会的な保険制度

株式　企業の資本の一部、または所有権の一単位(これを「普通株」と呼ぶ)

株式市場　株式が売り買いされる市場

株式分割　株式全体の価値を変えずに、株数を増やして持分に応じた株数を

株主に分配すること

損切り　投資したものを売って損すること

利益確定　投資したものを売って利益が出ること

ターゲット層　企業が商品またはサービスを売りたい特定の顧客層

割安（過少評価）　企業の価値を実際よりも低く見積もること（たくさんお手伝いしたのに誰もありがとうと言ってくれなかったときの気持ち）

バリュー投資　現在の株価よりはるかに価値があると信じられる銘柄への投資

ウォール街　ニューヨークの歴史的な金融街で、主要な金融機関の本社が多く存在する。世界一の規模の証券取引所、ニューヨーク証券取引所があり、アメリカの金融市場全体を指す言葉でもある

ほしいもの　生きるために必要ではないけれど、あったらうれしいもの

棚ぼた　予期せず一度に大金が転がり込んでくること

訳者おわりに

　本書の原題は、『HOW TO TURN $100 INTO $1,000,000：Earn! Save! Invest!』(『100ドル（1万円）を100万ドル（1億円）にする方法——稼いで、貯金して、投資しよう！』) です。

　とても刺激的で、まるで「釣り」のようなタイトルだと思われる方もいらっしゃるかもしれませんが、決して釣りではありません。

　内容はわかりやすく実践的で、極めて真っ当です。

　アメリカのアマゾン「Children's Money ジャンルのベスト10の常連」「1600以上の読者評価、星5つ中の4.6の高評価」を受け、全米ロングセラーになったこともうなずけます。

　この本の魅力はなにより、大人も子どもも、楽しみながらお金の本質を学べるところでしょう。こんなお金の教科書が日本にあったらいいなと思いながら訳しました。

　日本では、お金について子どもたちに話しにくい雰囲気があります。

　学校教育の中で金融や資産運用について学ぶ機会は、これまでほとんどありませんでした。

　お金の基礎知識がないために、リスクとリターンの概念が定着せず、莫大な個人資産が低金利の預金口座に眠ったまま経済に循環されていないのが現状です。

　先日、『日本経済新聞』(2021年7月3日朝刊)に「世界のユニコーン、5割増」という記事が掲載されました。

　ユニコーンとは企業価値が時価総額10億ドル（約1100億円）以上の有力スタートアップ企業を指します。圧倒的に多いのはアメリカと中国。世界のユニコーン729社の中でアメリカが374社、中国は151社(72%が米中)です。インドが34社、イギリス29社、イスラエル18社、ブラジル12社、カナダ11社、韓国10社。そして、日本はというと「6社」でした。

　さらに、ユニコーンの中でも企業価値が100億ドル（1兆1000億円）以上の巨大企業（デカコーン）33社のうち9社はフィンテック企業です。ですが、日

本からはフィンテックの大手企業は生まれていません。

　いよいよ2022年4月から日本の高等学校でも資産形成や投資の授業が行われますが、本書を読めば、お金を増やすには投資力だけでなく、3つの力——「稼ぐ力」「貯金力」「投資力」がすべて必要だとわかるでしょう。
　ぜひ本書を「日本人のためのお金の教科書」として活用していただけたらと思います。

　本書の土台になったのは、「エミー賞」（全米で放送される優れたテレビドラマ、番組、テレビ業界の功績に与えられる賞。映画のアカデミー賞、演劇のトニー賞、音楽のグラミー賞に相当する最も権威ある文化賞の一つ）を受賞したアメリカの人気テレビ番組『Biz Kid$』(https://bizkids.com/）です。
　『Biz Kid$』は子ども向けの経済教育番組で、2008年から全世界で1500万人以上が視聴。全米16州で金融教育番組として推奨されています。
　『Biz Kid$』をもとに、著者のマッケナとグリスタは同名の金融教育プログラムを立ち上げ、上記のウェブサイトで授業計画、オンラインゲーム、コミュニティ活動の無料講習を行っています。この本の躍動感（ダイナミズム）は、このバックグラウンドがあるからこそでしょう。

　そもそも、日本人がお金の話をするとき、なんだかうしろめたい気持ちになるのはなぜでしょう。できればお金の話をしなくてすむのが一番いい。お金のことを考えずにすめば、どんなにラクでしょう。

　でも、ここに「お金のパラドックス」があります。
　お金がないと、お金のことばかり考えざるをえない。お金があれば、お金のことを考えずに、他のことに意識を向けられ、誰かを助けられる。好きな場所にも行ける。人生の選択肢を与えてくれるのが、お金です。

　しかし、「お金が大切なのはわかるけれど、わざわざ子どもに教える必要があるのか？」という意見もよく聞きます。

　私は教えたほうがいいと思っています。
　なぜなら、少額のお金でも、運用期間が長ければ長いほど、お金がお金を生

み出してくれるからです。

　35歳から貯金と運用を始めたら、定年までの期間は30年程度ですが、もし13歳から貯金と運用を始めれば、68歳になるまで実に55年間も、お金に働いてもらえます。

　この本の第8章に「複利は宇宙最強の力」があります。
　複利は運用期間が長ければ長いほど乗数的にパワーアップします。最初は小さな力であっても、50年経つと信じられないほどの実りをもたらしてくれる。だからこそ、なるべく早いうちから始めたほうがいいのです。

　もう一つ、早く始めたほうがいい理由があります。
「市場の力」です。

　長い目で見ると、世界は少しずつ豊かになっています。
　100年前と今とを比較すると、貧困は減って生産性は上がり、男女とも寿命は延び続け、人生100年時代が到来しています。
　これからも世界が豊かになると信じるなら、長期的な株式市場の上昇トレンドにお金の一部を投資すべきでしょう。
　でも、10年や20年スパンでは、長期的な経済発展の恩恵を十分得ることはできません。
　むしろ、短期的な景気後退の影響や金融危機などでお金を失う可能性すらあります。

　50年、60年といった長期視点で市場全体に投資しておけば、正当なリターンを得ることができる。だからこそ、少しでも早いうちに投資を始めることが大切なのです。

　この本には、一見、当たり前のことがたくさん書いてあります。
　身の丈に合った生活をすること。
　お金を貯める習慣を身につけること。
　予算を立てること。
　お金に働いてもらうこと。

　複利の力を知ること。

　いずれも、「言うは易く行うは難し」です。

　本書はアメリカの子ども向けに書かれていますが、日本の子どもたちだけでなく多くの大人たちにも有益なことがたくさん書かれています。

　本書を読んだみなさんが、経済的自立への旅の入口に立たれることを願っています。

　そして、いつの日か億万長者になったとき、それを再び社会のために使ってくださることを心から願っています。

　最後に推薦コメントをいただいた村上世彰さん、装丁の小口翔平さんと三沢稜さん（tobufune）、本文デザインの布施育哉さんとダイヤモンド・グラフィック社のみなさん、校正の加藤義廣さんと宮川咲さん、ダイヤモンド社の編集・寺田庸二さんと営業部・宣伝部のみなさん、ありがとうございました。

　そして、最後まで読んでくださった読者のみなさまに心から御礼申し上げます。

　2021年9月

　　　　　　　　　　　　　　　　　　　　　　　　　　　　関　美和

［著者］

ジェームス・マッケナ

ジェニーン・グリスタ

マット・フォンテイン

「エミー賞」(全米で放送される優れたテレビドラマ、番組などの功績に与えられる賞。映画のアカデミー賞などに相当する最も権威ある文化賞の一つ)を受賞したアメリカの人気テレビ番組『Biz Kid$』(https://bizkids.com/)は、子ども向けの経済教育番組。2008年に放送が開始され、これまで全世界で1500万人以上が視聴。全米16州では金融教育番組として推奨されている。

『Biz Kid$』をもとに、著者のジェームス・マッケナとジェニーン・グリスタは同名の金融教育プログラムを立ち上げ、長年にわたり数百人もの子どもたちを取材調査し、同時に過去から現在までの億万長者のヒミツを徹底的に調査。幼い頃からどんなことをすれば、ゼロから１億円をつくれるのかをとことん研究した。上記『Biz Kid$』のウェブサイトでは、授業計画、オンラインゲーム、コミュニティ活動の無料講習を行っている。本書は作家のマット・フォンテインが加わることで、魅力的なコンテンツに仕上がっている。

2016年の刊行以来、本書は現在でも、アメリカのアマゾン「Children's Moneyジャンルのベスト10の常連」「1600以上の読者評価、星５つ中の4.6の高評価」の全米ロングセラーとして売れ続ける「お金の教科書」である。

［訳者］

関 美和(せき・みわ)

翻訳家。MPower Partners Fund L.P.ゼネラル・パートナー。杏林大学外国語学部特任准教授。慶應義塾大学文学部・法学部卒業。電通、スミス・バーニー勤務後、ハーバード・ビジネス・スクールでMBA取得。モルガン・スタンレー投資銀行を経てクレイ・フィンレイ投資顧問東京支店長を務める。また、アジア女子大学(バングラデシュ)支援財団の理事も務めている。おもな訳書に『父が娘に語る 美しく、深く、壮大で、とんでもなくわかりやすい経済の話。』(ダイヤモンド社)、『FACTFULNESS(ファクトフルネス)──10の思い込みを乗り越え、データを基に世界を正しく見る習慣』(日経BP)、『ゼロ・トゥ・ワン──君はゼロから何を生み出せるか』(NHK出版)、『お父さんが教える 13歳からの金融入門』(日本経済新聞出版)など多数。

13歳からの億万長者入門

──1万円を1億円にする「お金の教科書」

2021年9月28日　第1刷発行
2024年6月11日　第6刷発行

著　者――ジェームス・マッケナ、ジェニーン・グリスタ、
　　　　　マット・フォンテイン
訳　者――関 美和
発行所――ダイヤモンド社
　　　　　〒150-8409　東京都渋谷区神宮前6-12-17
　　　　　https://www.diamond.co.jp/
　　　　　電話／03·5778·7233（編集）　03·5778·7240（販売）
装丁―――――小口翔平＋三沢稜(tobufune)
本文デザイン―布施育哉
校正―――――加藤義廣、宮川咲
製作進行·DTP―ダイヤモンド·グラフィック社
印刷·製本―勇進印刷
編集担当――寺田庸二

お金を守り、ふやすために、
知っておきたい投資信託のすべて

学校でも、銀行でも、証券会社でも教えてくれない、「投資信託」の正しい知識と選び方。NISAやiDeCoを始めるために欠かせない投資信託の用語解説、しくみ、投信の選び方、買い方、解約の方法まで、イラスト図解でわかりやすい！

改訂版　一番やさしい！一番くわしい！
はじめての「投資信託」入門

竹川美奈子［著］

●四六判並製●定価（本体1500円＋税）

https://www.diamond.co.jp/

伝説のファンドマネジャーが語る
株式投資の極意

アマチュアの投資家がプロの投資家より有利と説く著者が、有望株の見つけ方から売買のタイミングまで、株で成功する秘訣を伝授。

ピーター・リンチの株で勝つ[新版]
アマの知恵でプロを出し抜け
ピーター・リンチ、ジョン・ロスチャイルド[著]

三原淳雄、土屋安衛[訳]

●四六判並製●定価(本体1800円＋税)